Redactie:	Saskia Rossi
Omslagontwerp:	Erik de Bruin, www.varwigdesign.com
	Hengelo
Druk:	Wöhrmann Print Service
	Zutphen

ISBN 90-76968-61-6

© 2005 Uitgeverij Ellessy
Postbus 30227
6803 AE Arnhem
www.ellessy.nl

WWW

wij willen weten

Ton Vingerhoets

Koninklijke Luchtmacht

Deel 11

ELLESSY

Inhoudsopgave

Inleiding

Een spreekbeurt of een werkstuk voorbereiden, maken en presenteren: je ziet er behoorlijk tegenop. Het lijkt ontzettend veel werk, je weet niet of je het allemaal wel goed zult doen en vooral: hoe kom je aan een goed onderwerp? De serie 'Wij Willen Weten' kan je met dat laatste helpen. Er komen regelmatig van overal uit het land vragen naar informatie over bepaalde onderwerpen binnen. Daarvan kun je een toptien met de meest gevraagde onderwerpen maken. Dat hebben we dus gedaan, met 'Wij willen weten' als resultaat. Een handig hulpje om alle belangrijke gegevens over het onderwerp van je spreekbeurt of werkstuk aan de weet te komen.

Eén van de onderwerpen uit die toptien is de krijgsmacht in Nederland en dan met name de Koninklijke Luchtmacht, de KLu, zoals de gangbare afkorting luidt. En het is geen wonder dat zoveel jongeren daar iets over willen weten. Want je kunt zeggen wat je wilt, maar er zit toch een flink stuk romantiek aan de KLu vast. Wie heeft er nooit eens een keer gedroomd dat hij of zij in een snelle straaljager door de lucht schiet? Of een radar bedient, of geleide wapens afvuurt of in een ver land de plaatselijke bevolking te hulp schiet? Samen met je kameraden zorgen dat die vliegtuigen de lucht in komen en piloten vertellen wat ze tijdens hun vlucht kunnen verwachten. Op een druk vliegveld werken, aan een vliegtuigmotor sleutelen, in een verkeerstoren je collega's naar binnen praten.

Ja, dat klinkt allemaal wel leuk. Maar gaat het nu in de werkelijkheid allemaal net zoals je vanaf de buitenkant ziet of waarvan je stiekem droomt? Nee, waarschijnlijk niet. De Koninklijke Luchtmacht is een enorm bedrijf, met een duidelijk omschreven taak en met regels en wetten. Een technisch georiënteerd bedrijf dat in een snel veranderende wereld moet opereren. Dat in internationaal verband moet samenwerken, als onderdeel van de NAVO, de Noord-Atlantische Verdragsorganisatie. Dat is wel even iets anders dan romantisch aan een vliegtuigmotor sleutelen of in een verkeerstoren werken.

We gaan in dit boekje kennismaken met de wereld van de luchtmacht. Met de vliegers, de technische dienst, de verkeersleiding, de gevechtsleiding, de brandweer en de meteorologische dienst. Met de duizenden mannen en vrouwen die elk ogenblik moeten kunnen worden ingezet en die goed geoefend moeten zijn. Ze moeten niet alleen die straaljager perfect kunnen besturen, maar de vliegtuigen ook zorgvuldig onderhouden en in de goede richting sturen. Ze moeten nauwkeurig het weer kunnen voorspellen en het technisch en elektronisch materieel waarmee ze werken moet altijd perfect in orde zijn. Dat alles maakt de KLu tot een geolied bedrijf.

O ja: je hoeft natuurlijk niet het hele boekje te behandelen. Welke onderdelen interesseren je het meest? De geschiedenis, of een deel daarvan? De organisatie van de KLu? De verschillende vliegtuigen in de luchtmacht? En hoeveel tijd of hoeveel ruimte je beschikbaar hebt, speelt natuurlijk ook een rol. Je krijgt echt geen uur voor een spreekbeurt en je werkstuk moet ook niet de omvang van een heel boek krijgen. Kies dus zorgvuldig je onderwerp uit; beter één onderwerp eruit gelicht en grondig behandeld dan vluchtig het hele boekje doorgewerkt!

Er is veel geschreven over de Koninklijke Luchtmacht. Als je nog meer wilt weten, surf dan op Internet naar Google, tik maar eens 'luchtmacht' in en vraag naar vermeldingen in het Nederlands. Dan verschijnt er een hele serie verwijzingen op je scherm. De belangrijkste website is uiteraard www.luchtmacht.nl. Daar vind je nog eens allerlei extra informatie, afbeeldingen en links naar andere sites. Van die site heb ik ook meermalen gebruik gemaakt bij het samenstellen van dit boekje. En als je een briefje naar het

Defensievoorlichtingscentrum, Postbus 20701, 2500 ES Den Haag schrijft, met het verzoek om documentatiemateriaal over de Koninklijke Luchtmacht toe te sturen, krijg je met de informatie op schrift ook allerlei plaatjes waarmee je je werkstuk of spreekbeurt kunt illustreren. Of schrijf aan Koninklijke Luchtmacht, Postbus 20703, 2500 ES Den Haag en vraag in je briefje beleefd om informatiemateriaal. Heel handig!

Ik hoop dat je veel aan dit boekje zult hebben bij het voorbereiden van je werkstuk of spreekbeurt en dat je in de serie 'Wij Willen Weten' straks nog veel meer onderwerpen zult kunnen vinden. En dan is er ook nog het boekje 'Een werkstuk? Een spreekbeurt? Geen probleem!'. Dat is een ideale handleiding, met veel praktische adviezen, tips en richtlijnen; het vertelt hoe je een werkstuk en/of een spreekbeurt het beste kunt voorbereiden, waar je geschikt materiaal vindt en hoe je het kunt uitwerken en illustreren. Veel succes!

De schrijver

1. Nederland in een veranderende wereld

Bijzonder landje

Toch een bijzonder landje, dat Nederland. Eigenlijk is het maar een klein stukje grond en water, maar dat land is zeker niet onbelangrijk in Europa. Dat komt vooral door zijn ligging aan zee en doordat drie grote Europese rivieren daarin uitmonden: de Rijn, de Maas en de Schelde, want hoewel die laatste rivier vooral door België stroomt, komt hij toch in Nederland in de zee terecht. Dat is erg belangrijk voor het reilen en zeilen van ons land. De haven van Rotterdam is al vele jaren de grootste zeehaven van de wereld en de nationale luchthaven Schiphol is een van de belangrijkste knooppunten binnen Europa. Handel, handel. Daar leeft Nederland vooral van, al sinds vele eeuwen. En dat komt dan vooral door die enorme zeehaven en die belangrijke luchthaven. Een echt transportland is het: Nederlanders zorgen binnen de Europese Unie (het samenwerkingsverband van vele landen in Europa) voor 40 procent van het vervoer over water en voor 25 procent van het vervoer over land. Daarom is de aandacht van Nederland voor het grootste deel op het buitenland gericht en dan vooral op het achterland in Europa.

En dat moet ook wel, want Nederland is een van de dichtst bevolkte landen ter wereld: er wonen zo'n zestien miljoen mensen op een oppervlakte van 41.350 vierkante kilometer. Als je dat op elkaar deelt, levert dat ongeveer 387 inwoners per vierkante kilometer op. Die wonen voor het grootste gedeelte in Amsterdam, Rotterdam, Den Haag en Utrecht: de Randstad, waar soms wel duizend mensen op een vierkante kilometer wonen. En rond 2011 verwacht het Centraal Bureau voor de Statistiek (een rijksinstelling die allerlei gegevens over allerlei onderwerpen uitzoekt en bewaart) de zeventien miljoenste inwoner! Dat aantal zal rond 2030 waarschijnlijk zo'n achttien miljoen zijn: een dikke 435 mensen per vierkante kilometer. Maar doordat de mensen steeds ouder worden en er steeds minder kinderen worden geboren, 'vergrijst' het land ook: er komen steeds meer ouderen. Omdat er minder kinderen worden geboren, zal de bevolking in de eenentwintigste eeuw teruggaan naar zestien miljoen en daar blijven steken. En dan hebben we het nog even niet over de Nederlandse Antillen en Aruba, waar immers ook Nederlanders wonen.

Héél veel buitenland

Teruggang of niet, er blijven meer dan genoeg mensen over en die zullen allemaal moeten schoolgaan, werken, eten en verzorgd worden. Dat vraagt om een goedlopend land, met een goedlopende economie (zeg maar het beheer van het huishouden van het land). Nou gaat het de laatste jaren niet zo best met de internationale en dus ook onze eigen economie, maar die herstelt zich ook wel weer, zo gaat het altijd. Maar voor zijn eigen inwoners zorgen is niet de enige taak van Nederland. Er is ook nog héél veel buitenland, waarmee we rekening moeten houden en waarmee we allerlei zaken hebben afgesproken. We hebben natuurlijk te maken met de Europese Unie, maar ook met de wereldwijde Verenigde Naties en de internationale militaire club Noord-Atlantische Verdragsorganisatie (NAVO of NATO, dat is de Engelstalige afkorting van North Atlantic Treaty Organisation), waarvan we lid zijn. Dat betekent onder meer dat we hebben afgesproken ons best te doen om vrede, veiligheid, vrijheid en welvaart in de hele wereld te helpen bevorderen.

Dat is nogal wat, ja. Moet zo'n klein landje als het onze ervoor zorgen dat, zeg maar, de inwoners van een Afrikaans land te eten hebben? Nou, dat doen we natuurlijk niet alleen, maar dat proberen we samen met een heleboel andere landen in de wereld. Zo steunt Nederland de overgang van Oost-Europese landen van dictatuur (= één man heeft het in een land voor het zeggen) naar democratie (= het volk kiest degenen die het regeren en regeert dus als het ware mee). Ook doet Nederland zijn best om de vrede te handhaven in roerige landen, om onderdrukte minderheden te beschermen en ontwikkelingshulp te geven. Daarmee dragen wij bij aan de internationale veiligheid en het evenwichtige bestuur van allerlei landen. Dat doen we onder meer met onze krijgsmacht, bestaande uit de onderdelen landmacht, luchtmacht, marine en marechaussee.

Einde van de Koude Oorlog

Dat alles bij elkaar noemen we dan meestal internationale politiek. Die werd jarenlang beheerst door de tegenstelling tussen Oost en West: de Russen tegen de Amerikanen, zeg maar. Politiek en militair stonden die twee grootmachten, samen met de landen die met hen meegingen, lijnrecht tegenover elkaar. Dat heette de Koude Oorlog: een oorlog zonder dat er echt wapens tegen elkaar werden gebruikt. Maar er waren wel flinke onderlinge spanningen en steeds meer fabricage van steeds modernere wapens: de wapenwedloop. Dat was om de tegenstander te laten merken dat de ene partij even hard zou terugslaan als de andere zou aanvallen. Zo bleef het militaire evenwicht en daarmee de vrede gehandhaafd.

Maar dat veranderde in het begin van de jaren negentig van de vorige eeuw aanzienlijk: de Sovjet-Unie liet het communisme als alleenzaligmakende staatsvorm vallen en viel in een aantal zelfstandige landen uiteen. Ook het Warschau Pact, de militaire tegenhanger van de NAVO, hield op te bestaan en de Berlijnse Muur, het symbool van de scheiding tussen Oost en West, werd in 1989 onder luid gejuich afgebroken, waardoor de bewoners van het voordien streng van elkaar gescheiden West- en Oost-Duitsland plotseling zonder belemmering bij elkaar op bezoek konden. Daarmee eindigde de Koude Oorlog en verdween de dreiging van agressie tegen een van de beide partijen. Plotseling hoefden we niet meer bang voor 'de Russen' te zijn en de Russen op hun beurt niet voor 'de Amerikanen'. Dat betekende dat de regeringen van allerlei landen minder geld gingen uitgeven aan wapentuig (en zelfs hun atoomwapens uit elkaar haalden) en hun legers gingen verkleinen. Ook in Nederland was dat het geval: de dienstplicht, wat inhield dat iedere jongen in het jaar dat hij twintig werd in militaire dienst moest, werd opgeschort. De krijgsmacht bestond voortaan uit beroepspersoneel; je kon vanaf dat moment dus gewoon bij marine, land- en luchtmacht gaan solliciteren als je je tot het militaire bedrijf aangetrokken voelde. Overigens werd de dienstplicht niet echt afgeschaft; alleen de opkomstplicht, dus de plicht van iedere jongen om zich op afroep voor militaire dienst te melden, verdween. De dienstplicht werd alleen tijdelijk buiten werking gesteld, om in geval van plotseling internationaal gevaar toch nog dienstplichtigen te kunnen oproepen.

Hevige onlusten

Dat internationale gevaar is niet helemáál denkbeeldig. Door die veranderende wereld ontstonden er problemen binnen allerlei, vaak nieuwgevormde staten. Problemen die vroeger de kop ingedrukt werden, kwamen nu naar voren. Binnen diverse landen staken verschillen in godsdienst en in volksaard de kop op. Grenzen waarover hevige ruzies uitbraken, opkomend nationalisme, moslims die christenen niet met rust konden laten, christenen die moslims probeerden het land uit te jagen: vooral in Oost-Europa, zoals in het vroegere Joegoslavië, dat in Servië, Bosnië en Montenegro uiteengevallen was, braken hevige onlusten uit. Daardoor kwam de internationale veiligheid in gevaar. De illegale wapenhandel bloeide op en plotseling kon iedereen die dat wilde een wapen kopen en dat op zijn buurman leegschieten, als die bijvoorbeeld een andere godsdienst of een andere nationaliteit had. Dat lijkt heel stom, maar het gebeurt wel degelijk. Er zijn immers altijd mensen die denken dat alleen hún godsdienst of hún nationaliteit de ware is en dat iedereen die dat niet vindt maar moet oprotten. Desnoods proberen ze dat met geweld te bereiken.

De internationale gemeenschap zag zich voor allerlei conflicten binnen allerlei landen geplaatst. Conflicten die moesten worden opgelost, want anders dreigden ze zich als een olievlek over grote delen van de wereld uit te breiden. Het gebeurde inderdaad veel in Oost-Europa, maar ook in Afrika, het Midden-Oosten en Azië. En daar moet iets aan worden gedaan, vond iedereen.

Vredesoperaties

De internationale gemeenschap doet er inderdaad iets aan. Er worden vredesoperaties ondernomen: in landen waar binnenlandse conflicten zijn, of conflicten met andere landen, die uit de hand dreigen te lopen, komt een vredesmacht, bestaande uit militairen uit verschillende landen. Die hebben de taak om te helpen bij de beëindiging van het conflict, maar vooral om erop toe te zien dat de gemaakte afspraken tussen de partijen ook worden nageleefd. En ook om het bestuur en de economie in die landen weer op te bouwen. Dat zijn natuurlijk heel ingewikkelde ondernemingen, waarbij militairen en burgerlijke instellingen samenwerken om hulp te verlenen en landen en hun inwoners opnieuw goed te laten functioneren.

Dat ga je niet zomaar in je eentje doen, dat spreekt vanzelf. Je wordt als land, als krijgsmacht gevráágd om aan een vredesoperatie mee te doen. Door internationale organisaties. Zoals de Verenigde Naties (VN), de club van vrijwel alle landen ter wereld, die op allerlei gebieden probeert de wereld in het gareel te houden. Of de Organisatie voor Veiligheid en Samenwerking in Europa (OVSE), de West-Europese Unie (WEU) of het militaire bondgenootschap NAVO. Als Nederland voor een operatie wordt gevraagd, zijn we daar in principe best toe bereid, maar niet zonder meer: de volksvertegenwoordiging, dus het parlement (de Tweede Kamer) moet toestemming geven en daarvoor moeten ze eerst goed onderzoeken of het overeenkomt met bepaalde regels die ze daarvoor hebben opgesteld, zoals het *Toetsingskader voor uitzending van militaire eenheden*.

Want het deelnemen aan vredesoperaties hoort wel bij de hoofdtaken van de Nederlandse krijgsmacht. Ten eerste moet die het eigen land verdedigen als het door een vijand wordt aangevallen, maar ook helpen als een bondgenoot wordt aangevallen, dat spreekt vanzelf. Je zou ook kunnen bedenken dat er andere gevaren voor de veiligheid zouden kunnen opduiken, zoals een terroristische aanslag. Ook daartegen moet de Nederlandse krijgsmacht kunnen optreden. Verder moet ze ook hulp verlenen bij burgerlijke taken van de overheid. De Koninklijke Marechaussee kan politietaken verrichten, de kustwacht van de Koninklijke Marine houdt de kusten van de Nederlandse Antillen en Aruba in de gaten om drugssmokkelaars op te sporen. Maar ook bij natuurrampen of dreiging daarvan komt de krijgsmacht in het geweer. Als er bijvoorbeeld dijken op doorbreken staan, zie je militairen met zandzakken slepen om de dijken te versterken. Die hulpverlening sterkt zich ook uit tot internationale hulpverlening, in samenwerking met het ministerie van Ontwikkelingssamenwerking. Als er ergens in de wereld een acute hongersnood uitbreekt, staat de krijgsmacht klaar om voedsel naar het getroffen gebied te brengen. Als er een aardbeving is geweest en duizenden mensen dakloos zijn geworden, wordt er geholpen, bijvoorbeeld met tenten en dekens.

En tenslotte dus die vredestaak: de Nederlandse krijgsmacht is verplicht om te helpen bij het 'beschermen en bevorderen van de internationale rechtsorde', ofwel: helpen ervoor te zorgen dat de zaken weer goed komen in landen waar ernstige problemen zijn ontstaan. Dat betekent dus: deelnemen aan internationale vredesoperaties.

Stevig optreden

Dat klinkt allemaal nogal *soft*. Een beetje rondvliegen boven het bedreigde gebied, naar de bevolking zwaaien en af en toe een beetje wachtlopen. Maar zo'n vredesoperatie kan ook best om stevig optreden vragen. Omdat er wel degelijk nog wordt gevochten in zo'n land of tussen landen, stiekem of openlijk. Dan helpt zwaaien naar de bevolking niet; dan moet er worden opgetreden. En hoewel oorlog voeren, vechten, op elkaar schieten, in de loop van de tijd bij de Nederlandse krijgsmacht een beetje op de achtergrond is geraakt, moeten militairen wel degelijk in staat zijn om waar nodig ook als echte militairen op te treden. Gevaarlijke situaties oplossen, ja, zelfs schieten, als dat niet anders kan. Liever niet, maar soms vraagt zo'n situatie er nu eenmaal om. En dat zoiets best gevaarlijk kan zijn, hebben we gezien bij de militairen die in Irak zijn gestationeerd.

Zo hebben sinds 1992 in totaal maar liefst meer dan 28.000 Nederlandse militairen aan een veertigtal vredesoperaties deelgenomen. Ze waren (of zijn nog steeds) bijvoorbeeld in Turkije, Israël, Cambodja, Haïti, Angola, Zaïre, het voormalige Joegoslavië (Bosnië, Servië, Macedonië en Montenegro), Irak en Cyprus. Halverwege 2004 zijn er bijna 2800 militairen bij vredesoperaties in het buitenland werkzaam.
Daarbij werken ze samen met krijgsmachten uit andere landen. En niet alleen bij vredestaken, maar ook in eigen land en bij onze buren: er bestaat een Duits-Nederlands legerkorps, de marines van België en Nederland werken nauw samen en ook de lucht-

macht werkt samen met België en Duitsland. Bij het uitvoeren van vredestaken werkt de Nederlandse krijgsmacht samen met militairen uit allerlei landen. De NAVO heeft een zogenoemd *Partnerschap voor de Vrede* in het leven geroepen, waarin een kleine dertig landen uit Midden- en Oost-Europa samenwerken, met als doel om samen zo efficiënt mogelijk vredesoperaties te kunnen uitvoeren.

Correct en gedisciplineerd

En zo is de Nederlandse krijgsmacht eigenlijk een internationale krijgsmacht geworden. Een organisatie die zich niet op oorlogvoeren richt, maar op vredesmissies en humanitaire (= menslievende) taken. Een Nederlandse militair moet overal ter wereld en te allen tijde kunnen worden ingezet en dat betekent nogal wat voor je conditie en je uithoudingsvermogen. Vaak moeten militairen immers in hoge temperaturen werken, in primitieve streken, onder barre omstandigheden, soms met gevaar voor eigen leven. Dat betekent dat de opleiding van de Nederlandse beroepsmilitair gericht is op zijn of haar menselijke eigenschappen: zelfrespect en respect voor de medemens. Een militair wordt niet meer in de eerste plaats opgeleid om oorlog te voeren. Hij moet een correct en gedisciplineerd mens zijn, met een uitstekende conditie en een stabiele levenshouding. Dat klinkt allemaal een beetje hoogdravend, maar ik wil er maar mee zeggen dat je niet moet denken dat beroepsmilitairen allemaal avonturiers zijn, die niets liever doen dan met automatische geweren om zich heen schieten en met straalvliegtuigen door de geluidsbarrière breken.

In 1999 had het ministerie van Defensie, waar de krijgsmachtdelen onder vallen, nog 75.000 mensen in dienst: 55.000 militairen en 20.000 burgers, want die werken dus ook voor de krijgsmacht. Bij de burgers was zo'n 19,5 procent vrouw, bij de militairen was dat bijna 7 procent. De bedoeling is overigens wel dat in 2010 het percentage vrouwen bij de militairen 12 en bij de burgers 30 procent zal zijn. Die 75.000 zijn verdeeld in zes onderdelen, waarvan de Landmacht met 33.000 personeelsleden de grootste is. Daarna volgt de Marine met 17.000 en de Luchtmacht met 13.000 personeelsleden. De Marechaussee is met 5300 leden het kleinste krijgsmachtdeel.

Dan zijn er nog twee onderdelen: het Commando Diensten Centra (CDC) met 5000 mensen is een onderdeel waarbij verschillende ondersteunende diensten, zoals geneeskundige verzorging, personeelswerving en vervoer zijn ondergebracht. De Centrale Organisatie (CO) tenslotte is met 1700 personeelsleden de kleinste organisatie van het ministerie; dat is in feite het ministerie, met minister van Defensie Kamp en staatssecretaris Van der Knaap als hoogste functionarissen; zij hebben op dit moment, in 2004, de politieke leiding. De secretaris-generaal van het ministerie is de hoogste ambtenaar; de chef Defensiestaf, vanaf 2004 de luchtmachtgeneraal Berlijn, is de hoogste militaire adviseur van de politieke leiding en de Defensiestaf zelf bemoeit zich met zaken die alle krijgsmachtdelen aangaan en leidt de planning van de operaties. Eigenlijk is het ministerie van Defensie dus te vergelijken met een heel groot bedrijf, met de krijgsmachtdelen als werkmaatschappijen.

Bezuinigingen

Maar die krijgsmacht wordt eerder kleiner dan groter: bezuinigingen eisen hun tol. Anno 2004 is het totale aantal personeelsleden van het ministerie van Defensie allang geen 75.000 meer, maar er werken nog maar 50.000 beroepsmilitairen en 18.000 burgerwerknemers. Tot 1997 bestond de krijgsmacht uit zo'n honderdduizend man en dat waren bijna allemaal dienstplichtigen. Toen de opkomstplicht was stopgezet en daarmee ook de keuring voor de krijgsmacht werd dat aantal dus snel minder. Weliswaar krijgen nog steeds elk jaar een paar duizend jongeren een brief van het ministerie van Defensie, waarin staat dat ze bij het ministerie geregistreerd staan en dat ze in geval van nood moeten komen opdraven. Dat is wettelijk toegestaan en daar kun je je dus niet tegen verzetten, ook niet als je gewetensbezwaarde bent (iemand die het niet met zijn geweten kan overeenstemmen om wapens te dragen en te gebruiken). Die situatie zou dus kunnen ontstaan als het Nederlandse grondgebied of een NAVO-land ernstig wordt bedreigd. Maar die kans is wel erg klein.

Nederland heeft zo langzamerhand dus een afgeslankte krijgsmacht gekregen. Halverwege 2004 zijn er bijvoorbeeld een stelletje Orion-vliegtuigen van de marine aan Duitsland verkocht en ook pantservoertuigen zijn afgestoten. Kazernes, vliegvelden en marinebases worden gesloten. Militairen zijn nu vrijwillig in dienst getreden, als beroepssoldaten, die gewoon een salaris krijgen en die eenzelfde soort rechten en plichten hebben als iedereen in het bedrijfsleven. En dat klopt ook wel: de krijgsmacht is een bedrijf geworden, waarvan de werknemers bepaalde taken hebben. Daarover gaan we het in het volgende hoofdstuk hebben.

2. De taken en de mensen van de luchtmacht

Drie hoofdtaken van de krijgsmacht

We hebben het er in het kort al even over gehad, maar laten we de hoofdtaken van de Nederlandse krijgsmacht (dat zijn dus Koninklijke Marine, Koninklijke Landmacht, Koninklijke Luchtmacht en Koninklijke Marechaussee bij elkaar) nog eens even onder de loep nemen. Het zijn er drie:

1. de krijgsmacht moet het Nederlands grondgebied verdedigen tegen aanvallen van een ander land (beperkte militaire dreiging heet dat) en niet alleen het Nederlandse grondgebied, maar ook dat van de bondgenoten. Dus als België bijvoorbeeld door Irak zou worden bedreigd – een vrijwel ondenkbare situatie, maar het is dan ook maar een voorbeeld – dan zouden de Nederlandse strijdkrachten België te hulp moeten schieten. Bovendien moet de krijgsmacht in actie komen tegen 'een veelheid van veiligheidsrisico's die diffuus van aard zijn'. Een beetje ingewikkeld gezegd, maar wat men bedoelt, zijn allerlei situaties die de burger of de politie niet kan oplossen. Je zou kunnen denken aan optreden in geval van een terroristische dreiging. Dat kan dan in de vorm zijn van bewaking van allerlei objecten, maar ook in de vorm van echt in actie komen tegen terroristen; daarvoor is zelfs speciaal een eenheid opgericht.

2. de krijgsmacht moet ook internationaal kunnen worden ingezet. Dat wordt 'de bescherming en bevordering van de internationale rechtsorde' genoemd. Oftewel: een soort politieagent spelen in gebieden waar zich conflicten voordoen. Ervoor zorgen dat de partijen elkaar niet afmaken. Als je daaraan meedoet, kan dat alleen als je een opdracht krijgt van een interna-

tionale organisatie zoals de Verenigde Naties, de NAVO, de Organisatie voor Veiligheid en Samenwerking in Europa (OVSE) of de West-Europese Unie (WEU). En dan moet dus ook het Nederlandse parlement nog toestemming geven, anders gaat het mooi niet door.

3. Ondersteuning en hulpverlening bij uitvoering van civiele overheidstaken. Dat betekent bijvoorbeeld hulp bij wateroverlast: al tijdens de watersnoodramp van 1953 werkten militairen keihard om mensen die door het water in het nauw waren gedreven te redden. Ook tijdens de vliegtuigramp in de Amsterdamse Bijlmermeer en de wateroverlast in Limburg, een paar jaar geleden, kon je militairen bezig zien met het verlenen van hulp aan mensen die het niet in hun eentje aankunnen, zoals het verzorgen van transport vanuit de bedreigde gebieden, en bijvoorbeeld het versterken van dijken met zandzakken. Soms worden er ook tenten uitgeleend of tijdelijke noodbruggen geslagen. Ook bij zoiets als de varkenspest of als hulppost bij de Elfstedentocht kom je militairen tegen (alleen is er al in geen jaren een Elfstedentocht meer geweest!). Speciale kennis en kunde bij de krijgsmacht wordt ook ter beschikking gesteld als die kennis in de burgermaatschappij ontbreekt. Zo is er het Explosieven Opruimings Commando, dat bommen en projectielen uit de Tweede Wereldoorlog onschadelijk kan maken. Dat kan gratis, maar in sommige gevallen verlangt het Commando een tegenprestatie of een bijdrage in de kosten.

In feite draagt de Koninklijke Luchtmacht erg veel bij aan die drie hoofdtaken, alleen wat minder aan die derde hoofdtaak, ondersteuning en hulpverlening bij uitvoering van civiele overheidstaken. Maar natuurlijk wel bij internationale hulpverlening, bijvoorbeeld samen met het ministerie van Ontwikkelingssamenwerking. Het door de lucht transporteren van voedsel, medicijnen, tenten en dekens: allemaal taken die dienen om mensen (doorgaans in ontwikkelingslanden) die dringend hulp nodig hebben ook inderdaad met materieel en ondersteuning bij te staan.

Wat doet de luchtmacht?

Een heleboel. Het gebruik van militaire middelen in de lucht kun je in een moderne krijgsmacht niet meer missen. Belangrijk is dat je dat 'luchtwapen' op allerlei manieren kunt inzetten. Luchtverdediging bijvoorbeeld (de baas blijven in de lucht), maar ook strategische bombardementen. Daarnaast kunnen vliegtuigen ook steun geven aan grondtroepen en marineschepen of mariniers (de zeesoldaten van de Koninklijke Marine) en transport door de lucht verzorgen van mensen, materieel en hulpgoederen. Flexibiliteit: de mogelijkheid om zich snel aan veranderende situaties aan te passen. Doordat het luchtwapen een groot bereik heeft, zich snel verplaatst en snel kan reageren en bovendien mobiel is, oftewel vanaf allerlei plaatsen kan opereren, wordt die flexibiliteit bereikt. Daarom is de luchtmacht zo geschikt om in te zetten bij crisisbeheersings- en vredesoperaties en voor humanitaire hulpacties.

Want naast het waarborgen van vrede en veiligheid, zeg maar een soort oorlogstaak, voert de KLu regelmatig humanitaire operaties uit. Dat is dus meestal directe hulp aan mensen die door oorlog, ander wapengeweld of (natuur)rampen in de problemen zijn gekomen, die op de vlucht moesten slaan en zonder huisvesting, voedsel en water komen te zitten. Doordat de Koninklijke Luchtmacht in dergelijke gevallen bijspringt, wordt een hoop ellende voorkomen. Ten eerste die van de mensen zelf, maar daarmee ook van het land waar de hulp wordt geboden. Verlichting van menselijk leed dus, en dan vooral als de regeringen van het land of de landstreek zelf niet kunnen (of niet willen!) optreden. Dat betekent dat er vanuit de politiek toestemming en instemming met de operatie moeten zijn, maar ook moet er duidelijke afstemming zijn met de hulporganisaties ter plaatse en niet te vergeten met andere krijgsmachtdelen die te hulp zijn geschoten, zoals de landmacht en de marine.

Zo zijn in 1994 en 1995 Hercules C-130 vliegtuigen van de KLu actief geweest in Afrika. Ze verleenden hulp in verscheidene landen: Angola, Sierra Leone, Rwanda en Zaïre. In 1998 gingen er hulpvluchten met medicijnen, voedsel en andere hulp naar het Midden-Amerikaanse land Honduras dat door de orkaan Mitch was getroffen. De KLu verbleef ook al in Cambodja, waar transportsteun werd geleverd.

In 1999 vloog er weer een Hercules voor een hulpmissie, nu naar Kosovo in het voormalige Joegoslavië, en bracht daar twaalf ton onderdelen voor de bouw van noodwoningen in Pristina. Dat gebeurde op verzoek van het Hoge Commissariaat voor de Vluchtelingen van de Verenigde Naties (United Nations High Commission for Refugees of UNHCR) en er werden daartoe op 5 augustus twee vluchten uitgevoerd, van de Italiaanse vliegbasis Amendola naar Pristina.

Af en toe geweld

Afgezien van die humanitaire taken hebben in de loop van de tijd vele Nederlandse luchtmachtmilitairen aan diverse vredesoperaties in het buitenland deelgenomen. Dat zijn dan geen landen waarmee Nederland in oorlog is, zoals het vroeger gebeurde: toen moest je als militair alleen naar het buitenland als daar een vijand zat die je wilde tegenhouden of verslaan. Nu noemen we die uitzendingen dus vredesoperaties. Daar wordt echter wel degelijk af en toe geweld bij gebruikt; je zult je nog wel herinneren dat er in 2004 een hoop gedoe was rond een sergeant-majoor van de Nederlandse vredesmacht in Irak, die in de grond had geschoten om een dreigende groep mensen op een afstand te houden en wiens al of niet afgeketste kogel een Irakees raakte en doodde. Daar is zelfs een rechtszaak van gekomen, waarbij de man weliswaar werd vrijgesproken, maar die zaak is op het moment dat we dit schrijven zeker nog niet afgelopen, want het Openbaar Ministerie (de aanklagers van een verdachte) wilde zich niet bij de uitspraak neerleggen en is in hoger beroep gegaan.

Bij de luchtmacht ligt dat even anders, want daar komen ze zelden echt oog in oog met een tegenstander te staan. Maar gevaarlijk kan het niettemin zijn en ook de vluchten die de KLu in voormalig Joegoslavië en in Afghanistan uitvoerde, waren niet zonder risico. Van 1993 tot eind 1995 maakten Nederlandse F-16's deel uit van de NAVO-luchtvloot voor de operatie *Deny Flight*. Die moest voorkomen dat er boven Bosnië-Herzegowina door de strijdende partijen vluchten zouden worden uitgevoerd. En in de zomer van 1995 namen Nederlandse F-16's deel aan de operatie *Deliberate Force*, ook al in Bosnië-Herzegowina. Dat bombardementsoffensief was de aanloop voor het Dayton-vredesakkoord van eind 1995.

Ook wapengeweld moest worden gebruikt: toen de KLu in 1999 deelnam aan de operatie *Allied Force* in Kosovo moest een F-16 jachtvliegtuig van het 322 squadron meteen in het begin al een Servische MiG-29 neerschieten. Die Nederlandse vliegtuigen werden ingezet voor verkenningsmissies en bombardementsvluchten. Van de meer dan 37.000 vlieguren die er door de Allied Force werden gemaakt, kwamen er bijna 1200 voor rekening van de KLu. Zelfs toen de Kosovo-oorlog was afgelopen, bleven de Nederlandse F-16's het luchtruim bewaken en dat duurde tot begin 2001.

Maar ook al tijdens de eerste Golfoorlog in 1991, die volgde op de bezetting van Koeweit door Irak, kwam de luchtmacht in actie: Nederland stuurde squadrons van de 3e en 5e Groep Geleide Wapens (GGW) met Patriot-, Hawk- en Stinger-raketten naar Turkije. Daarmee werd de vliegbasis Diyarbakir beschermd tegen aanvallen van Scud-raketten uit Irak. Ook hielpen KLu-militairen met Patriot-raketten bij de verdediging van de Israëlische hoofdstad Jeruzalem tegen aanvallen met Scuds vanuit Irak.

Ook in eigen land is de luchtmacht wel eens in actie gekomen: op 23 mei 1977 gijzelden negen Molukse kapers 94 passagiers in de Intercity van Groningen naar Assen. Er werden Lockheed

Starfighter straaljagers van de luchtmachtbasis Leeuwarden ingezet om meermalen rakelings en met een hoop motorgeweld over
de bezette trein te scheren, zodat de gijzelaars werden afgeleid en
de gegijzelden konden worden bevrijd. Geen wapengeweld dus,
maar wel afschrikking. Je zou dat onder crisisbeheersing kunnen
laten vallen.

Andere taken

Dan zijn er nog wat taken die vooral in eigen land worden uitgevoerd, zoals *search and rescue*, het opsporen en redden van vlieg-
tuigbemanningen die in moeilijkheden zijn gekomen. Maar die
eenheid komt gelukkig meestal alleen in actie als er transport van
zieken en gewonden vanaf de Waddeneilanden moet worden verzorgd. Verder voert de KLu fotoverkenningsvluchten uit in
opdracht van het ministerie van Justitie of andere overheidsin-
stanties, bijvoorbeeld om de plek van een misdaad te fotografe-
ren.
En dan is er nog het Air Operations Control Station (AOCS) in
Nieuw Milligen; dat houdt de lucht in Nederland in de gaten, bijvoorbeeld om te kijken of er ongewenste gasten komen binnen-
vliegen, maar daarnaast regelen ze er ook het militaire luchtverkeer en steken ze zelfs een handje toe bij de verkeersleiding voor
de burgerluchtvaart.

De gewone samenleving

Luchtmachtmilitairen zijn natuurlijk gewone mensen, die uit een
gewone samenleving komen. Ze zijn in dienst van een van de
grootste werkgevers van Nederland. Ook die omstandigheid delen
ze met vele andere Nederlanders. En dat betekent dat alle bewegingen en veranderingen in de maatschappij ook in de KLu te
merken zijn. Daarom zie je ook vrouwen en allochtonen in uni-

form, want die zie je natuurlijk in de maatschappij ook. Vanaf 1 november 1951 konden er al vrouwen dienst nemen bij de KLu en dat was wel even wennen! De Luchtmachtvrouwenafdeling (Luva) werd opgericht en vrouwen kregen al belangrijke functies bij de gevechtsleiding, de verkeersleiding en de meteorologische dienst. Nog niet alle functies stonden voor vrouwen open, maar dat veranderde al spoedig: vrouwen kwamen voor meer functies in aanmerking, hun rechtspositie werd behoorlijk verbeterd en tegenwoordig zijn er zelfs al vrouwelijke gevechtsvliegers: de eerste vrouwelijke F-16-vlieger (of moeten we 'vliegster' zeggen?) ging in 1987 bij de KLu de lucht in. De Luva werd in de Koninklijke Luchtmacht opgenomen en vrouwen konden als beroepsmilitair in dienst komen; zij konden voor twee jaar tekenen en mannen voor vier jaar. Maar in 1982 werd iedereen gelijk, mannen en vrouwen. Toen werd de Luva ook als overbodig opgeheven. Voortaan hadden vrouwen en mannen dezelfde positie en niet alleen in de KLu, maar ook bij de landmacht en de marine.

Alleen: met die vrouwen wil het nog niet zo best lukken. Hoewel staatssecretaris Van der Knaap van Defensie een plan heeft gemaakt om de militaire en burgerbanen bij het ministerie van Defensie zo aantrekkelijk mogelijk te maken, lukt dat (nog?) niet zo best. Hij wil in 2010 12 procent vrouwelijke militairen en 30 procent vrouwelijk burgerpersoneel hebben, zo vertelde hij bij een bijeenkomst van vrouwelijke officieren van de Koninklijke Militaire Academie (KMA) in Breda. Maar in 2002 waren er dat nog maar 8,5 procent (militairen) en 22,2 procent (burgers). In 2003 liep het aantal vrouwelijk burgerpersoneel zelfs terug naar 21,6 procent, maar steeg het aantal vrouwelijke militairen naar 8,7 procent. Nog een heel eind verwijderd van die gewenste 30 en 12 procent! Een beetje begrijpelijk is dat wel, die geringe belangstelling van vrouwen voor het leger. Ze treden ten slotte in dienst op een leeftijd dat ze langzamerhand aan een relatie en een gezin toe beginnen te komen. Dan raakt een baan, burger of militair, nogal eens gemakkelijk op de achtergrond.

Ook allochtonen treden niet zo gemakkelijk in dienst van de krijgsmacht. Ten eerste vormen ze natuurlijk nog een minderheid in de Nederlandse samenleving en verder zorgen verschillen in cultuur en maatschappelijke en religieuze opvattingen er ook voor dat ze niet zo gemakkelijk in militaire dienst gaan. Natuurlijk, je vindt wel allochtonen in de krijgsmacht (en er werken bij de geestelijke verzorging ook best islamitische geestelijken, om maar eens iets te noemen), maar het blijven er nog steeds maar weinig.

Werving van personeel

Toch blijft het ministerie van Defensie proberen om vrouwen en allochtonen te stimuleren om in dienst te treden, als militair of als burgerpersoneel. De samenstelling van het personeel moet immers zoveel mogelijk een afspiegeling van de Nederlandse maatschappij vormen. Werving van personeel door middel van televisie, radio en gedrukte media, zoals kranten en tijdschriften, moet ervoor zorgen dat die doelstelling wordt gehaald. De luchtmacht heeft immers veel jonge mensen nodig, nu er geen dienstplichtigen meer zijn. Dat zijn ze bij de KLu trouwens wel gewend, want doordat daar zoveel (technische) specialisten rondvliegen en -lopen en bijvoorbeeld vliegeropleidingen behoorlijk veel geld kosten, zitten er van oudsher nogal wat beroepsmensen bij dit krijgsmachtdeel.

Bij de Luchtmacht werken BOT-ers (beroepsmilitairen voor onbepaalde tijd) en BBT-ers (beroepsmilitairen voor bepaalde tijd). De laatsten zijn een bepaald aantal jaren in dienst en verdwijnen dan weer de burgermaatschappij in. BOT-ers blijven in principe hun hele werkende leven bij de KLu. Om de samenstelling van het personeel zo flexibel mogelijk te houden, streeft de KLu naar 60 procent BBT-ers in 2016. Ook werken er ongeveer 14 procent burgers. Er moet dus elk jaar een flink aantal nieuwe mensen worden geworven. Je hebt vast in kranten en tijdschriften en op radio en televisie die wervingsadvertenties voor luchtmachtvliegers al eens gezien en gehoord.

De mensen die de luchtmacht verlaten, krijgen een zogenaamd exitinterview; men wil graag weten waarom ze de dienst verlaten, waarmee er fatsoenlijk afscheid van de militair wordt genomen. Bovendien kan men op die manier maatregelen nemen om een te grote uitstroom van personeelsleden in de hand te houden en waar mogelijk te beperken. Misschien viel het allemaal een beetje tegen, kregen ze niet wat ze verwachtten of konden ze in het burgerleven een betere positie krijgen.

De keuring

Je kunt niet zó maar bij de Luchtmacht aankloppen en vervolgens doodleuk in dienst gaan. Je zult moeten worden gekeurd. Daar is een hele organisatie voor in het leven geroepen, het IKS, dat in de Marinekazerne in de Amsterdamse Kattenburgerstraat zetelt. Daar wordt iedereen die bij Landmacht, Luchtmacht, Marine of Marechaussee wil werken onder handen genomen. Want militairen moeten niet alleen lichamelijk in goede conditie zijn, maar ook geestelijk. En daarvoor is een uitgebreide keuring nodig. Het IKS bestaat uit zeer deskundig personeel dat het personeel voor de krijgsmachtdelen, zowel burgers als toekomstige militairen, beoordeelt en levert. De krijgsmachtdelen laten het IKS weten hoeveel en wat voor een soort kandidaten ze nodig hebben en wanneer ze die nodig hebben. Psychologische selectie en medische keuringen voor functies die rechtstreeks met het vliegen te maken hebben, gebeuren bij het Centrum voor Mens en Luchtvaart (CML) op de vliegbasis Soesterberg.

Er solliciteren natuurlijk voortdurend allerlei mensen bij de krijgsmacht en vanaf het moment dat het IKS een sollicitatieformulier ontvangt, begint het selectieproces. Eerst vindt er een administratieve voorselectie plaats. Dat gebeurt bij de diverse krijgsmachtdelen zelf en daar wordt beoordeeld of iemand de juiste leeftijd en opleiding heeft en ook op andere punten geschikt lijkt te zijn. Daarna volgt het psychologisch en tenslotte het geneeskundig onderzoek. Die laatste twee worden door het IKS gedaan. Ook wordt er nog een veiligheidsonderzoek gedaan.

Psychologisch onderzoek

Militair kan een zwaar beroep zijn, dus wil het IKS weten of je daar tegen opgewassen bent, als de nood aan de man komt. Heb je de juiste karaktereigenschappen en de juiste instelling voor het beroep waarnaar je solliciteert? Dat onderzoek gebeurt in twee delen. Eerst moet je een uitgebreide vragenlijst invullen waaruit je persoonlijkheid kan worden afgeleid en mogelijk moet je dan nog een paar tests doen om te zien welke capaciteiten je in huis hebt. Het tweede deel is een interview; een gesprek met een onderzoeker, waar je de gelegenheid krijgt om te vertellen over je leefomstandigheden, waarom je bij de krijgsmacht wilt, wat je bijvoorbeeld in je vrije tijd doet, wat je hobby's zijn, hoe je op school bent geweest en dat soort zaken. Er wordt op die manier een psychologisch profiel van je samengesteld en dat geldt dan voor de functie waarvoor jij solliciteert. Mocht het profiel niet aan die functie voldoen, dan wordt er in overleg met jou gekeken of je voor een andere functie in aanmerking zou kunnen komen of misschien zelfs voor een ander krijgsmachtdeel. Want stel maar eens dat je graag jachtvlieger wilt worden, maar dat uit je profiel blijkt dat je veel beter geschikt bent voor vrachtwagenchauffeur. Dan wordt dat aan je voorgelegd en kun je beslissen of dat een goed alternatief voor je is. Als je helemaal geen zin hebt om vrachtwagenchauffeur te worden, betekent dat niet meteen dat je nooit meer voor een functie in de krijgsmacht in aanmerking kunt komen. Maar als het advies dat uit de psychologische test komt gunstig is, volgt er een afspraak voor het geneeskundig onderzoek.

Medisch onderzoek

Het geneeskundig onderzoek duurt een dag. Je moet een aantal deelonderzoeken ondergaan:

audiometrie: daarbij wordt je gehoor getest (en dan moet je ervoor zorgen dat je niet de avond tevoren in de disco hebt rondgelopen of de hele avond je discman op hebt gehad);

optometrie: nu zijn je ogen aan de beurt. De scherpte ervan wordt onderzocht en je vermogen om diepte en kleur te onderscheiden. Als je een bril of lenzen draagt, moet je dat van tevoren even melden, met de sterkte erbij. En omdat je ogen zonder bril worden getest, moet je je lenzen minstens twaalf uur vóór het onderzoek uit laten en dan alleen maar een bril dragen;

biometrie: dat gaat over je lichaam. Hoe lang ben je, hoeveel weeg je, wat is je vetpercentage? Ook wordt er een hartfilmpje gemaakt, een elektrocardiogram, waarmee de toestand van je hart wordt bekeken;

urine: die zegt veel over bepaalde lichaamsfuncties en die wordt dus ook onderzocht;

fysiotherapie: hoe zitten de bewegende en kwetsbare onderdelen van je lichaam in elkaar? De fysiotherapeut kijkt naar je gewrichten en lichaamsdelen die het meest onder zware belasting te lijden hebben, zoals je rug, heupen, voeten, enkels, polsen en knieën;

tandarts: een tandartsassistente controleert de toestand van je gebit en checkt of je regelmatig naar de tandarts gaat;

gesprek: de keuringsarts praat met je over je gezondheid en of er in het verleden iets met je gezondheid aan de hand is geweest en doet een lichamelijk onderzoek. Dat zou aanleiding kunnen zijn om je door te verwijzen naar een specialist of om contact op te nemen met je huisarts of je behandelend specialist;

spierkracht: je zult ook nog even moeten laten testen hoe het met je spieren is gesteld. En dat onderdeel is nogal inspannend, dus moet je dat in sportkleding doen. Je moet aan allerlei krachtmeet- en conditieapparaten werken (en na afloop douchen!);

uitslag: weer een gesprek met een arts, ditmaal degene die de uitslag gaat geven. Hij of zij neemt samen met jou het hele onderzoek door en als er eventuele onduidelijkheden zijn opgelost, krijg je de uitslag te horen: geschikt, ongeschikt of medisch aanhouden; dat laatste kan gebeuren als ze je nog nader specialistisch willen onderzoeken. Als je ongeschikt wordt verklaard, gaat iemand van de afdeling personeelsvoorziening met je praten over functies waarvoor je mogelijk wel geschikt bent (maar dan moet er wel zo'n functie worden gevraagd).

Je ziet dat het geen kattenpis is en dat je geestelijk en lichamelijk goed in orde moet zijn, wil je beroepsmilitair worden.

Veiligheidsonderzoek

En dan tenslotte het veiligheidsonderzoek. Als je bij de overheid gaat werken, dus beroepsmilitair wilt worden, krijg je een vertrouwensfunctie; daarin moet je met vertrouwelijke en soms zelfs geheime informatie werken. Die informatie kan betrekking hebben op de veiligheid van Nederland, dus schrijft de wet voor dat je een veiligheidsonderzoek moet ondergaan. Daarbij bekijken ze zaken als: heb je een strafblad, ben je lid of steun je activiteiten van een groep die het doel heeft om de democratie in Nederland in gevaar te brengen of die zelfs de veiligheid van het land bedreigt, wat is je persoonlijke gedrag geweest en onder welke omstandigheden heeft dat plaatsgevonden?

Je hoeft alleen maar toestemming voor het veiligheidsonderzoek te geven (je moet dan de zogeheten *verklaring van toestemming* ondertekenen), de rest doet de Militaire Inlichtingen Dienst (MID). Die stuurt je die verklaring en een vragenlijst (*staat van inlichtingen*) die je moet invullen en terugsturen. Eventueel kan de MID nog bij je thuis komen om verder met je te praten. Daarna stuurt de dienst een *verklaring van geen bezwaar* naar het onderdeel waarvoor je hebt gesolliciteerd en dan staat er niets meer in de weg om beroepsmilitair te worden of als burger bij de krijgsmacht in dienst te komen. Als de MID om de een of andere reden geen verklaring van geen bezwaar wil afgeven, wordt je dat persoonlijk door de dienst verteld. Maar dat gebeurt alleen maar als er echt iets behoorlijk mis met je is!

3. Van 1918 tot 1940: van krakkemikkig vliegtuigje naar eigen organisatie

Vliegtuigje voor 1585 euro

De Koninklijke Luchtmacht, in de eeuwige gewoonte van de krijgsmacht om alles en iedereen een afkorting te geven KLu genoemd, is het jongste van de krijgsmachtdelen in Nederland. Waar landmacht en marine al eeuwenlang bestaan, vond de oprichting van de luchtmacht pas op 1913 plaats. Op 16 april van dat jaar ondertekende Koningin Wilhelmina namelijk het Koninklijk Besluit nummer 29, waarmee de Koninklijke Landmacht (KL) toestemming kreeg per 1 juli de Luchtvaart Afdeeling (LVA) op te richten. Eén vliegtuig hadden ze: de Brik. Nou ja, vliegtuig: als je dat toestelletje tegenwoordig ziet, houd je je hart vast. Van hout en draad in elkaar geknutseld, één pruttelend motortje, een piloot die in de open lucht moest zitten: als je dat vergelijkt met de F-16 straaljagers waarmee de luchtmacht tegenwoordig vliegt, lijkt het of er eeuwen tussen liggen, maar toch zijn het nog geen honderd jaar. Bijna niets heeft zich in de twintigste eeuw sneller ontwikkeld dan de luchtvaart. Op 23 mei 1913 had generaal-majoor vlieger William 'Willem' Versteegh al de eerste vlucht over land in de geschiedenis van de militaire luchtvaart gemaakt. Een mijlpaal.

Eigenlijk was er al vóór 1913 sprake van militaire luchtvaart in Nederland. Al vele jaren eerder was er gebruik gemaakt van met gas gevulde ballonnen voor militaire verkenningsdoeleinden, zoals al in de Amerikaanse Burgeroorlog (1861-1865) het geval was geweest. Veel later, in 1911, hadden gehuurde vliegtoestellen – want van vliegtuigen kon je toen nog nauwelijks spreken – in

Nederland aan grote legeroefeningen meegedaan. Dat was ook de reden van de oprichting van de LVA, want de inzet van vliegtuigen bij die oefeningen was erg succesvol geweest.

Het eerste vliegtuig van de Luchtvaartafdeeling was een door luchtvaartpionier Marinus van Meel gebouwde kopie van een Frans Farman-vliegtuig; het was nog door de LVA gehuurd, want ze wilden daar eerst wel eens de kat uit de boom kijken. Toen het vliegtuigje begin september 1913 aan de officiële luchtwaardigheidseisen bleek te voldoen, kocht de LVA het aan, voor de toen ontzagwekkende som van zo'n 3500 gulden (ongeveer 1.585 euro). Het registratienummer van de Brik werd LA-1 en eerste luitenant F.A. van Heijst was de eerste militair die in Nederland zijn militaire vliegbrevet haalde. Hij werd tot vlieginstructeur benoemd en met de LA-1 werden de eerste drie vliegers van de LVA opgeleid.

Maar het zou niet bij dat ene vliegtuigje blijven. Er werden al vrij spoedig drie Farman-toestellen uit Frankrijk aangeschaft. Marinus van Meel zorgde voor de volgende vlootuitbreiding: hij bouwde in zijn vliegtuigfabriekje in Soesterberg op bestelling van de Luchtvaartafdeeling de opvolger van zijn Brik, die Grote Brik werd genoemd, en die het registratienummer LA-5 kreeg. Maar het zou wel zijn laatste vliegtuig zijn, want niet lang daarna ging zijn bedrijf failliet. Soesterberg bleef en zou de eerste luchtmachtbasis van Nederland worden; daar staat ook het oudste monument voor de militaire luchtvaart.

De Eerste Wereldoorlog

De techniek ging tijdens de Eerste Wereldoorlog (1914-1918) met sprongen vooruit, zoals dat altijd gaat tijdens een oorlog. De LVA moest natuurlijk met die ontwikkelingen mee en zo ontstonden de Technische Dienst, de Fototechnische Dienst, de Meteorologische

Dienst (de mensen die over het weer gingen) en de Radiodienst. In 1915 begint de LVA met het opleiden van vrijwilligers tot militair vlieger en een jaar later mochten ook militairen onder de rang van officier vlieger worden, want die functie was tot dan toe alleen maar voor officieren bestemd. Nederland bleef weliswaar neutraal tijdens de oorlog, koos dus geen partij en vocht niet mee, maar het leger werd wel gemobiliseerd, ofwel onder de wapenen geroepen. De LVA bewaakte de grenzen door verkenningsvluchten langs de grenzen uit te voeren en omdat Soesterberg nogal ver uit de buurt lag voor de vliegtuigjes van die tijd, kwamen er nieuwe vliegvelden bij.

Ook kregen de mensen van de LVA in de gaten dat ze nogal kwetsbaar waren, zo met z'n allen op dat ene vliegveld Soesterberg. Dat hoefde tijdens een oorlog maar even te worden gebombardeerd en de hele Luchtvaartafdeeling zou compleet uitgeschakeld zijn. En in vredestijd zou het zo druk op het vliegveld worden dat er weer gevaar voor ongelukken ontstond. Daarom werden er in de loop van de tijd veel meer vliegvelden in ons land aangelegd: bij Arnhem, Gilze-Rijen, Venlo, Schiphol, Ypenburg, Haamstede en Souburg. Tenslotte werden er nog twee velden aangelegd, bij Bergen en op Texel. Op die manier werd het risico, zowel in oorlogs- als in vredestijd gespreid en konden de vliegtuigen gemakkelijk het hele land bestrijken.

Behalve voor verkenningsvluchten werden de vliegtuigen ook voor andere taken ingezet: luchtfotografie, steun geven aan de artillerie (zodat die weten waarop ze moeten schieten en of ze het doel hebben geraakt) en verbindingen onderhouden tussen verschillende militaire eenheden. Ook werden er in deze oorlog voor het eerst bommenwerpers ingezet, door de Duitsers, die ruim vijftig bombardementsvluchten op Londen uitvoerden. De schade die ze daarmee aanrichtten, was eigenlijk niet de moeite waard, maar het feit dat er zomaar vliegtuigen uit een ander land boven Engeland konden komen en daar dingen vernielen, was een hele

schok voor de Engelsen, die altijd hadden gezegd dat hun opper-
machtige marine en hun ligging in zee ervoor zouden zorgen dat
geen vijand het land zou kunnen aanvallen.

De luchtoorlog veranderde. Waar eerst individuele vliegers elkaar
uit de lucht probeerden te schieten, begonnen de Duitsers met
luchtaanvallen met meer vliegtuigen tegelijk. En daardoor werd
het formatievliegen ingevoerd; soms deden er wel honderden
vliegtuigen aan luchtgevechten mee.

Meteen al verouderd

De luchtvloot van de Luchtvaartafdeeling werd groter en groter.
Vlak voordat in 1914 de Eerste Wereldoorlog uitbrak begon de
levering van de tweede zending Farman-vliegtuigen en op 3
augustus 1914 arriveerde het laatste van de vier bestelde toestellen in Nederland. Er werden meteen reserveonderdelen en reser-
vemotoren meegeleverd. Ook de Koninklijke Marine ging zich
met de luchtvaart bezighouden: een van de nieuwe Farmans was
voor dat krijgsmachtdeel bestemd. Nou ja, nieuwe... Het gaat allemaal zó snel in de wereld van de luchtvaart dat de Farmans al na
een paar jaar verouderd bleken te zijn. Dus bestelde Nederland
een aantal nieuwe jacht- en verkenningsvliegtuigen. Weer in
Frankrijk, dat op dat moment toonaangevend op het gebied van de
vliegtuigbouw was. Er kwamen Nieuport- en Caudronvliegtuigen,
maar helaas pas in de laatste oorlogsjaren, 1917 en 1918. En toen
waren ze meteen al verouderd, zodat ze alleen nog maar als lesvliegtuigen te gebruiken waren. Het luchtwapen had in de Eerste
Wereldoorlog letterlijk een grote vlucht genomen!

De eenheid bestond in het begin uit een commandant, kapitein H.
Walaardt Sacré, en vier vliegers. Dat zou ook nog even zo blijven,
want er werd fors bezuinigd in Nederland in de jaren twintig en
dertig. In 1929 stortte de beurs in New York in en een recessie (=

sterke economische teruggang, ineenstorting van de internationale geldmarkt) was het gevolg. Ook Nederland moest bezuinigen en dat betekende voor de LVA dat er voorlopig niet werd uitgebreid. Moderne toestellen kopen was er niet bij, er kon alleen af en toe een verouderd model vliegtuig worden aangeschaft. Het aantal vlieguren daalde scherp en dat terwijl de techniek niet stilstond: er werden steeds nieuwere vliegtuigtypen gebouwd en er was daardoor ook steeds meer behoefte aan een betere opleiding en specialisatie van het vliegend personeel. Maar er was nog geen sprake van modernisering van de Luchtvaartafdeeling: er werd gewoon geen geld voor uitgetrokken.

Eindelijk uitbreiding

Maar aan alles komt een eind en ook de recessie begon langzaam weg te ebben. Daarom lukte het toch om voor de LVA een aantal hervormingen door te voeren. Begin 1930 werden de bestaande vliegtuigafdelingen opgeheven. In plaats daarvan kwamen er twee Vliegtuiggroepen, een Jachtvliegafdeling en een Proefvliegtuigafdeling. Maar ondanks die specialisatie bleef de organisatie van de LVA ingewikkeld en daarom werd in 1932 de Technische Dienst van de rest afgesplitst en omgedoopt tot Luchtvaartbedrijf (LVB). Maar het liep niet zo lekker tussen die twee bedrijven. Pas nadat in 1935 de Inspectie van de Militaire Luchtvaart was ingesteld, ging het wat soepeler.

Ook de organisatie van de luchtverdediging werd aangepakt. Tot dan toe moest die door diverse legeronderdelen worden verzorgd en die vielen dan weer onder diverse commandanten. Oud-commandant P.W. Best van de Luchtvaartafdeeling kreeg de opdracht om alle luchtverdediging onder één commando te brengen. Dat deed hij voortvarend: op 1 november 1938 kwam de hele luchtverdediging onder hem en zijn staf te vallen. Hij kon toen namens de Opperbevelhebber van Land- en Zeemacht aanwijzingen en bevelen geven op het gebied van paraatheid, versperring van vliegvelden, nachtvliegen en het functioneren van de luchtdoelartillerie, want die was er inmiddels ook al: een eenheid die met speciaal daarvoor ontworpen kanonnen vijandelijke vliegtuigen uit de lucht moest halen.

Nederlands-Indië

We hadden ook nog overzeese gebiedsdelen: Nederlands-Indië, dat enorme eilandenrijk in Oost-Azië was toen nog Nederlands en daar was dus ook een leger nodig. Plus een luchtvaartafdeling, hoewel de legerbazen daar aanvankelijk met gefronste wenkbrauwen tegenaan keken. Op 30 mei 1914 werd in Nederlands-Indië de 'Proefvliegafdeeling' opgericht. Die bestond uit drie officieren en vijftien onderofficieren en manschappen. Eerst kwamen er twee watervliegtuigen en dat was puur uit zuinigheid: dan hoefden er immers geen dure vliegvelden worden aangelegd! Men koos voor vliegtuigen van het type Glenn Martin T.A. Die konden ook tot landvliegtuigen worden omgebouwd, mocht het experiment met de Proefvliegafdeeling een succes worden. Er werd op het eiland Java bij Tandjong Priok, niet ver van de toenmalige hoofdstad Batavia, een watervlieghaven aangelegd. Simpel: een vrij stuk water, met op de kant een al even simpele, van bamboe gebouwde hangar om de kostbare vliegtuigen tegen het weer te beschermen. Er gebeurden in die periode weliswaar een paar ongelukken, maar alles bij elkaar maakte de Proefvliegafdeeling toch indruk bij de militaire autoriteiten.

In juli 1918 werd 'Proef' dan ook geschrapt en veranderde de naam in Vliegafdeeling. Dat betekende dat de eenheid snel groeide. Er werden een vliegschool en een waarnemersschool (waarnemers vlogen toentertijd met een vlieger mee en hadden tot taak situaties en bewegingen op de grond te zoeken en door te geven) gesticht. In 1921 bestond de Vliegafdeeling al uit 164 man en werd de eenheid officieel onderdeel van het KNIL (Koninklijk

Nederlandsch-Indisch Leger). Dat leverde weer een nieuwe naam op: Luchtvaartafdeeling. En ze hadden het druk: verkenningsvluchten en ondersteuningsmissies voor het KNIL en helpen bij de luchtverdediging van de marinebasis in Soerabaja.

Maar de economische crisis van het begin van de jaren dertig, waarover we het hiervoor al hadden, liet zich ook in Nederlands-Indië merken. Ook de Luchtvaartafdeling moet afslanken en dat betekende dat zeven van de 26 vliegers naar hun oorspronkelijke legeronderdeel werden teruggestuurd en de vliegschool bij Kalidjati naar het hoofdvliegkamp Andir werd overgeplaatst. Het materieel was weliswaar vrij modern, maar er was gewoon te weinig van en nieuw materieel kopen was er nauwelijks bij. Er was ook te weinig personeel, met andere woorden: de verdedigingstaken kwamen eveneens in de knel. En dat was een heel vervelende zaak, omdat vlakbij Nederlands-Indië Japan aan een onstuitbare opgang tot grootmacht was begonnen en de landen om zich heen begon te bedreigen. Dat snapten ze wel in Nederlands-Indië en ze besloten om middelzware bommenwerpers als speerpunt van de verdediging op te voeren. Die moesten bij een Japanse aanval de schepen vernietigen voordat ze Java zouden kunnen bereiken. Op 30 maart 1939 kreeg de Luchtvaartafdeeling een nieuwe naam en werd het Wapen der Militaire Luchtvaart van het KNIL.

Op eigen benen

En ook in Nederland wordt het tijd om eens een eigen organisatie van de militaire luchtvaart in het leven te roepen. Op 1 juli 1939 wordt de LVA opgeheven en de Luchtvaartbrigade opgericht. Nog wel binnen de landmacht, maar als vijfde 'wapen' (zeg maar legeronderdeel), naast de infanterie, artillerie, cavalerie en genie bestond nu ook het Wapen der Militaire Luchtvaart. Waar ze als LVA nog nauwe banden met de infanterie of de genie onderhielden – daar kwamen de vliegers immers meestal vandaan – kregen ze door hun zelfstandigheid meer zelfbewustzijn: zij hadden nu hun eigen wapen. Ook vonden er geen overplaatsingen terug naar de infanterie of de genie meer plaats en dat betekende dat alle kennis en ervaring die ze bij de Luchtvaartbrigade hadden opgedaan voor de eenheid bewaard bleef.

Duitsland had de Eerste Wereldoorlog dan wel verloren, maar het land was opnieuw in opkomst. Onder invloed van de nationaal-socialistische beweging ('Nazi's') onder leiding van de dictator Adolf Hitler voerde het land een expansiepolitiek: ze zochten naar uitbreiding van hun grondgebied en waar dat ten koste van buurlanden zou gaan, moest dat dan maar. De rest van Europa maakte zich daar behoorlijk zorgen over en daar hoorde Nederland ook bij. We hoopten weliswaar dat we weer neutraal zouden kunnen blijven, net als in de Eerste Wereldoorlog, maar we waren slim genoeg om iets proberen te doen om de oorlogsmachine die Hitler aan het opbouwen was te weerstaan.

De krijgsmacht, dus de landmacht, de marine en de luchtmacht, was flink ingekrompen tijdens de economische recessie en de daaruit voortkomende bezuinigingen. Daar moest dus iets aan gebeuren. Met betrekking tot de luchtmacht werd er een luchtverdedigingscommando opgebouwd en de eenheid werd zelfstandiger en onafhankelijker. Maar er was een tekort aan vlieginstructeurs, waarnemers en vliegers voor de nieuwe vliegtuigen, die al heel wat moderner waren dan tijdens de Eerste Wereldoorlog en die bijvoorbeeld meer dan één motor hadden; dat vereiste dus een speciale opleiding van vliegers. Ook het onderhoud aan het materieel was een moeilijk punt, omdat de zaken slecht gestandaardiseerd waren, of – om het kort te zeggen – het was nogal een zootje. En toen kwam de Tweede Wereldoorlog in het verschiet.

4. Van 1940 tot nu: Tweede Wereldoorlog en straaltijdperk

De oorlog breekt uit

De dreiging van Duitsland werd groter en groter. De Nederlandse regering besloot eind augustus 1939 een algemene mobilisatie af te kondigen. Het WML (Wapen der Militaire Luchtvaart) werd vooral binnen de zogenoemde 'Vesting Holland' gestationeerd. Dat was in vergelijking met de jaren twintig al een hele luchtvloot: 125 gevechtsklare vliegtuigen, waarvan zo'n zestig jachtvliegtuigen, meer dan vijftig verkenningsvliegtuigen en negen bommenwerpers. Maar vergeleken met de Duitse luchtmacht was het maar een schijntje: toen die op 10 mei 1940 ons land binnenviel, gebeurde dat met meer dan duizend vliegtuigen! Ook waren de Nederlandse vliegtuigen doorgaans kwalitatief veel minder dan de Duitse. Nederland had toen de Douglas Northrop 8A-3N, die als verkenningsvliegtuig en lichte bommenwerper was ontworpen, maar die bij gebrek aan beter dienst deed als jachtvliegtuig. Dat zou dus eigenlijk een vliegtuig moeten zijn dat luchtgevechten kon aangaan en daarom veel sneller en wendbaarder moest zijn dan een lichte bommenwerper of verkenner.

Toen dan ook de Duitse troepen ons land binnenvielen, ondervonden ze maar weinig tegenstand. Ook het feit dat Nederland met alle geweld neutraal had willen blijven, speelde de strijdkrachten parten: er was geen contact tussen het Nederlandse WML en de luchtmachten van de omringende landen die tegen Duitsland vochten, de zogeheten geallieerden. Daarom was er ook geen afspraak om via verkenningsvluchten informatie over de vijand aan de geallieerden door te geven. Die hadden dan in elk geval de opmars van de Duitse luchtvloot kunnen vertragen.

Het was op die manier een ongelijke strijd; de Duitse Luftwaffe (luchtmacht) veegde de Nederlandse in een paar dagen van de kaart. Niettemin slaagden de Nederlandse vliegers erin maar liefst meer dan 350 Duitse vliegtuigen naar beneden te halen, waaronder meer dan 220 Junkers Ju-52 transportvliegtuigen. Een indrukwekkende prestatie door de enorme inzet van het WML, waarvoor het dan ook enkele dagen na de capitulatie van het Nederlandse leger de hoogste militaire onderscheiding in Nederland krijgt: de Militaire Willemsorde. Een afbeelding daarvan siert nog steeds het embleem van de Koninklijke Luchtmacht.

In Engeland

Tijdens de bezettingsjaren in de Tweede Wereldoorlog (1940-1945) opereerde niet alleen de Nederlandse regering vanuit de Engelse hoofdstad Londen, maar vluchtten ook de meeste mannen van het WML naar Engeland. Ze werden in de Engelse luchtmacht (Royal Air Force, ofwel RAF) opgenomen en verder opgeleid om met vliegtuigen te werken die daar worden gebruikt. Want ook de Nederlandse vliegers moesten worden ingezet tegen de Duitsers en later tegen de Japanners, met wie de Duitsers een militair verbond hadden gesloten. In 1940 werden in Engeland twee Nederlandse marinesquadrons opgericht. (*squadron* = een groep gevechtsvliegtuigen met bijbehorende technische dienst; het is het Engelse woord voor eskadron en dat betekent dan weer een eenheid huzaren.) Dat waren het 320 en het 321 squadron. Veel personeel van het WML bleef tot aan het einde van de oorlog in dienst van die squadrons. In juni 1943 werd ook het inmiddels beroemde 322 squadron opgericht, dat begon met de al even beroemde Supermarine Spitfire Mark IX en dat nog steeds bestaat; het is daarmee het oudste squadron van de Koninklijke

Luchtmacht. In de oorlog hield het squadron zich onder meer bezig met de luchtverdediging in Engeland, maar het voerde ook aanvallen uit op Duitse troepen in Frankrijk en België en gaf luchtsteun aan de geallieerden als die op weg zijn naar Duitsland en in dat land zelf. De laatste oorlogsvlucht voerde het 322 op 7 mei 1945 uit. En altijd is de mascotte van het squadron een grijze roodstaartpapegaai geweest, met de fraaie naam Polly Grey. Het oorspronkelijke dier leeft niet meer, maar er kwam natuurlijk een nieuwe. De papegaai staat nog steeds in het squadronembleem.

Prins Bernhard is tijdens de Tweede Wereldoorlog in Engeland ook heel actief geweest. Ondanks de tegenstand van zijn schoonmoeder, de toenmalige koningin Wilhelmina, maakte hij een aantal oorlogsvluchten in de Spitfire, die nog geruime tijd bij het 322 squadron heeft gevlogen. Toen de prins in december 2004 overleed, vloog er een zogenoemde *missing man*-formatie over de Nieuwe Kerk in Delft, waar hij zou worden bijgezet: drie F-16 straaljagers en als vierde vliegtuig die goeie, ouwe 'Spit', met aan de stuurknuppel generaal-majoor buiten dienst Macca, de laatste Nederlandse vlieger die het museumstuk nog heeft gevlogen. Boven de toren van de kerk, op het moment dat de kist van de prins naar binnen zou worden gedragen, verliet de 'Spit' de formatie en verdween met een grote boog naar boven. Een moment dat veel toeschouwers en televisiekijkers een brok in de keel bezorgde.

Nederlands-Indië in WO II

WO II, de Tweede Wereldoorlog, ging niet onopgemerkt aan Nederlands-Indië voorbij. Op 8 december 1941 vielen de Japanners Zuid-Thailand, Brits-Malakka, de Filippijnen, het eiland Guam, Hongkong en de Amerikaanse militaire basis Pearl Harbor op Hawaii aan. Met die laatste aanval, waarbij de haven, schepen en installaties grotendeels werden verwoest, brak de

Tweede Wereldoorlog uit, omdat ook de Verenigde Staten nu waren aangevallen en dat niet op zich konden laten zitten. Nederlands-Indië kon evenmin achterblijven: op dezelfde dag verklaarde Nederland Japan de oorlog. De Militaire Luchtvaart deed haar best, maar was machteloos tegen de Japanse overmacht. Nederlands-Indië gaf zich op 8 maart 1942 aan de Japanners over.

Veel mannen van de Militaire Luchtvaart weken uit naar Australië, waar enkele Nederlandse squadrons werden opgericht. Zoals het 120 Netherlands East Indies Squadron, dat met de geduchte Curtiss Kittyhawk-jager/bommenwerper vloog. Het 18 squadron werd met B-25 Mitchell middelzware bommenwerpers uitgerust en voerde vluchten tegen de Japanners uit. De Kittyhawks werden ingezet voor verkenningsmissies, het bombarderen van militaire stellingen en installaties en werd ook gebruikt bij de herovering van Nederlands Nieuw-Guinea.

En na de oorlog?

De oorlog liep op zijn einde en het werd tijd om te gaan nadenken over de wederopbouw van Nederland. De Nederlandse regering in Londen voorzag dat er grote behoefte aan luchttransport zou komen, omdat veel bruggen, wegen en spoorwegen in het land door oorlogshandelingen verwoest waren. De regering probeerde een nationale luchttransportdienst van de grond te krijgen, maar kregen weinig steun van Amerika en Engeland; die hadden wel andere dingen om aan te denken. In elk geval lukte het op 7 juli 1944 om samen met de Nederlandse ministeries van Oorlog en Marine en de Engelsen een militaire transportdienst op te richten. De dienst maakte deel uit van de RAF en bestond aanvankelijk uit het 1316 Dutch Communication Flight RAF. Er werd vanaf het vliegveld Hendon bij Londen gevlogen met DeHavilland Dominies, een Lockheed 12A, een Percival Proctor en een Lockheed Hudson.

In september 1944 landde het eerste Nederlandse militaire vliegtuig op een vliegveld bij de Belgische hoofdstad Brussel, dat toen
al bevrijd was, net als het zuiden van Nederland. Vanaf dat
moment werd er regelmatig op Brussel, Parijs en Eindhoven
gevlogen, waar een vliegveld lag waar Duitse nachtjagers gestationeerd waren geweest. Toen men in november de beschikking
over twee C17 Dakota's kreeg, waren die welkom om voedsel
naar Nederland te brengen, dat op dat moment aan de rand van
een hongersnood verkeerde.

De Dakota's zijn altijd een bekende verschijning in het
Nederlandse luchtruim geweest: het werkpaard van de lucht vliegt
nog steeds in allerlei landen over de hele wereld, ondanks zijn
hoge leeftijd. Ook de KLM vloog heel lang met de burgerversie
van de Dakota, de DC2 en later de DC3. In april 1945 kreeg de
Nederlandse regering de beschikking over zes Dakota's. Met twee
tot militair vliegtuig omgebouwde Dakota's van de KLM werd
vanaf het Engelse vliegveld Croydon een lijndienst op Den Haag
onderhouden. De oorlog was voorbij, de opbouw van het deels
verwoeste en leeggeplunderde Nederland kon beginnen.

De straaljager wordt geïntroduceerd

Het straaljagertijdperk was begonnen. Helemaal nieuw was de
straalmotor niet: al in 1937 bouwde de Engelsman Frank Whittle
de eerste werkende straalmotor en in augustus 1939 was de Duitse
Heinkel He 178 het eerste vliegende straalvliegtuig. Beide landen
zetten in verband met de wereldoorlog vaart achter de ontwikkeling en zo konden de Engelse Gloster Meteor en de Duitse
Messerschmitt Me 262 al in 1944 in de strijd worden ingezet. Ze
zijn niet vaak echt in actie gekomen, maar het was wel duidelijk
dat de veel grotere snelheid en de voor die tijd enorme hoogte die
straalvliegtuigen konden bereiken een einde maakten aan de pro-
pellervliegtuigen. Zeker nadat in 1945 een Gloster Meteor, een
straalvliegtuig met twee motoren aan de rechte vleugels, het

wereldsnelheidsrecord vestigde, door maar liefst een dikke 950 kilometer per uur te vliegen. Ook een Duits propellerloos vliegtuig haalde ongeveer die snelheid, maar dat werd door een raket aangedreven en had daarom nogal wat beperkingen (door het hoge brandstofverbruik kon de raketmotor maar een paar minuten werken). Toch had het wat succes door aanvallen op formaties geallieerde bommenwerpers, maar het is het enige raketvliegtuig dat ooit in een oorlog is ingezet.

De propellerjager was nog niet helemaal verdrongen. Toen de Nederlandse luchtmacht – inmiddels Commando Legerluchtmacht Nederland gedoopt – in 1948 de eerste Gloster Meteors ontving, was de Supermarine Spitfire nog steeds in gebruik en dat is hij tot 1954 gebleven. Maar er was geen ontkomen aan: tussen 1948 en 1951 werden op de vliegbases Leeuwarden, Soesterberg en Twenthe zes dagjagerssquadrons opgericht, elk met 25 Meteors uitgerust. Op Twenthe werden de eerste drie gebruikt voor de opleiding van vliegers, de eerste echte straaljagerbasis werd Leeuwarden, toen in 1949 de eerste acht Meteors daarheen werden gevlogen. Het eerste Meteor-squadron met een luchtverdedigingstaak werd no. 1 squadron gedoopt, dat werd het latere 323. En ook al in 1949 werd er al een verbeterde Meteor gebouwd, de Mark 8, die samen met de Belgen in licentie (met vergunning van de oorspronkelijke ontwerper) bij vliegtuigfabriek Fokker in Nederland werd vervaardigd. De Belgische FN-wapenfabriek leverde de Rolls Royce Derwent straalmotor, ook al in licentie van Rolls Royce gebouwd. De onderstellen, schietstoelen (ook al zo'n nieuwigheid!) en de instrumenten kwamen uit Engeland. Op 6 april kregen de Belgische en Nederlandse luchtmacht de laatste twee Meteors Mk. 8 van Fokker geleverd en toen waren de landen al bezig met het produceren van de opvolger ervan, de Hawker Hunter onderscheppingsjager, een mooi, modern vliegtuig met pijlvormige vleugels en staart.

Ook Fokker had zich niet onbetuigd gelaten en een straaltrainer voor de luchtmacht gebouwd, een eenmotorig vliegtuig met korte, rechte vleugels, reden waarom deze S-14 Mach-trainer 'de plank' werd genoemd. Het was het eerste straalvliegtuig dat speciaal voor lesdoeleinden werd ontworpen; instructeur en leerling zaten in de cockpit naast elkaar, wat ook al een nieuwigheidje was: in andere lesvliegtuigen zaten ze gewoonlijk achter elkaar (hoewel ook de trainingsversie van de Hawker Hunter met een zogenoemde *side-by-side*-cockpit was uitgerust). De S-14 bleef tot 1968 in gebruik.

Eindelijk zelfstandig

Al in de jaren veertig werd er gewerkt aan een zelfstandige lucht-macht. Een snelle militaire wederopbouw van de geallieerden was erg belangrijk: in Nederlands-Indië was een onafhankelijkheids-strijd onder leiding van de student Soekarno op gang gekomen en de communistische Sowjet-Unie, zeg maar Rusland, breidde haar invloed in Oost-Europa in sneltreinvaart uit. Als tegenwicht werd de NATO opgericht (North Atlantic Treaty Organization, in het Nederlands Noord-Atlantische Verdragsorganisatie of NAVO). Dat was een militair verbond tussen een groot aantal West-Europese landen, dat een tegenwicht moest vormen tegen het Warschau Pact, een overeenkomstig verbond in Oost-Europa. Die situatie maakte dat de opbouw van de diverse legers werd ver-sneld. Veel Nederlands personeel voor de luchtmacht werd opge-leid, eerst in Engeland, later in eigen land.

En al aan het einde van de jaren veertig werden voorbereidingen getroffen om het Commando Legerluchtmacht Nederland te ver-zelfstandigen. In de Tweede Wereldoorlog was immers bewezen dat de eenheid gemakkelijk zelfstandig kon werken, los van de landmacht en de marine. En uiteindelijk hadden vrijwel alle NAVO-landen zelfstandige luchtmachten, dus kon en wilde Nederland niet achterblijven.

Dat werd een heel feest, zeker ook omdat het veertigjarig jubileum van de militaire vliegerij in Nederland naderde. Op 27 maart 1953 kreeg de militaire luchtvaart via een Koninklijk Besluit van koningin Juliana het recht om de titel 'Koninklijk' te voeren en werd zelfstandig. Op de vliegbasis Soesterberg werd de Koninklijke Luchtmacht (meteen al tot KLu afgekort) plechtig ten doop gehouden. Daar waren grote namen uit de geschiedenis van de luchtvaart bij aanwezig, zoals Marinus van Meel (van de Brik), de 'vader van Schiphol', Albert Plesman, en kolonel-vlieger buiten dienst en luchtvaartpionier Willem Versteegh. Natuurlijk was er ook een defilé, van maar liefst 1500 luchtmachtmilitairen, en een *fly past* van de beste en modernste vliegtuigen die de luchtmacht te bieden had: 25 Harvard les- en verbindingsvliegtuigen van Gilze-Rijen, 25 Thunderjets van Volkel en Eindhoven en 25 Meteors uit Soesterberg en Leeuwarden.

Prins Bernhard werd Inspecteur-Generaal van de KLu en generaal Aler werd Chef van de Luchtmachtstaf, later opgevolgd door generaal-majoor Baretta, die ook nog tot Bevelhebber der Luchtstrijdkrachten werd benoemd. Er kwam, net zoals de Legerraad bij de landmacht en de Admiraliteitsraad bij de marine, een Luchtmachtraad en een luchtmachtvlag kwam er ook, maar die was al in 1948 tijdens een plechtigheid op het Haagse Binnenhof uitgereikt.

De Koude Oorlog

De tegenstellingen tussen Oost en West waren steeds groter geworden. Het leek wel of er twee grote honden tegenover elkaar stonden te grommen, slechts tegengehouden door het feit dat ze allebei wisten dat die andere hond op z'n minst even hard kon bijten, mocht hij een aanval wagen. En dat was dan de Koude Oorlog: een oorlog zonder wapenen, hoewel de wapenwedloop in volle gang was. Zowel de NAVO als het Warschau Pact bouwden in rap tempo hun wapenarsenaal op, om te proberen de andere partij zoveel mogelijk te imponeren. West-Europa moest koste wat kost worden verdedigd tegen het Warschau Pact, vond de NAVO en dat gebeurde door de inzet van jachtvliegtuigen en het nieuwe wapensysteem: geleide wapens, raketten met een explosieve lading, die van de grond af konden worden afgevuurd en bestuurd, met als doel vijandelijke vliegtuigen uit te schakelen. Dat waren in het begin Hawk- en Nike-raketten.

De luchtmacht ging een steeds belangrijkere rol spelen. In 1952 werd het Commando Tactische Luchtstrijdkrachten (CTL) opgericht, voornamelijk gelegerd op de vliegbases Volkel en Eindhoven en later ook op Twenthe, waar het 306 fotosquadron werkte. CTL werd onderdeel van de Second Allied Tactical Air Force (2ATAF) van de NAVO en de leerling-vliegers van de CTL-squadrons kregen hun opleiding in de Verenigde Staten.

Er werd veel met andere landen samengewerkt. En vooral veel samen geoefend. Omdat CTL de taak had om doelen op vijandelijk gebied aan te vallen en te vernietigen, moest daar op zo gering mogelijke hoogte heen worden gevlogen, om de vijandelijke radar te ontwijken, er als het ware onderdoor te vliegen. Dat laagvliegen moest worden geoefend en dat vonden ze in het dichtbevolkte Europa natuurlijk niet echt plezierig. Vandaar dat er vanaf de tweede helft van de jaren tachtig naar het Canadese Goose Bay werd uitgeweken. Er werden veel grote oefeningen gehouden, samen met de bondgenoten. De oefening *Red Flag* in de Amerikaanse staat Nevada is daar een voorbeeld van, maar ook in Europa werd heel wat geoefend, en dan voornamelijk in Duitsland, waar je tenminste nog wat ruimte had om laag te vliegen. De squadrons met geleide wapens oefenden en oefenen jaarlijks. Dat deden ze bijvoorbeeld op de NAMFI Range (NATO Missile Firing Installations), een oefenterrein op het Middellandse-Zee-eiland Kreta. Daar werden ook werkelijk raketten afgevuurd.

Problemen overzee

Op 27 december 1949 werd Nederlands-Indië onafhankelijk en ging Indonesië heten. Nederland vond het bepaald niet leuk om die winstgevende kolonie af te staan, maar de internationale druk was te groot en dus zat er niets anders op. Nieuw-Guinea hadden we nog wel, dat wil zeggen: het Nederlandse gedeelte daarvan. En dat wilde Indonesië ook hebben, want het had vroeger immers deel uitgemaakt van Nederlands-Indië. Maar Nederland hield krampachtig aan het deel van Nieuw-Guinea vast; men wilde er een nieuw thuisland voor Indische Nederlanders van maken. Indonesië gaf echter evenmin toe en de verhouding tussen beide landen verslechterde zodanig dat Indonesië op een gegeven moment zelfs de diplomatieke verbindingen met Nederland verbrak.

De luchtmacht was nadrukkelijk aanwezig in Nieuw-Guinea: direct na de oprichting van het 336 Transportsquadron van de KLu nam het al transporttaken van de marine over. Het squadron kreeg drie Dakota's van de marine en kocht er drie van de Amerikanen. Daarmee begonnen ze een groot aantal vluchten: tussen september 1961 en september 1962 vervoerde het 336 meer dan 5400 passagiers en 451 ton vracht.
Maar het zag er al eerder naar uit dat er een gewapend conflict ging ontstaan. Er waren aanwijzingen dat Indonesië infiltranten naar Nieuw-Guinea ging sturen om een militaire operatie voor te bereiden. Oorlog dus? Om dat vóór te zijn, stuurde Nederland in 1958 in allerijl militairen overzee. Daar was ook een eenheid van de KLu bij, die de luchtverdediging van het strategisch gelegen Biak moest verzorgen. Er werden twee radarposten geplaatst, zogeheten *early warning radar*; die moest in een zo vroeg mogelijk stadium waarschuwen tegen een inval van buiten. Maar het boterde steeds minder tussen Indonesië en Nederland en in 1960 werden er opnieuw militairen naar Nieuw-Guinea gestuurd. Ditmaal een compleet squadron luchtverdedigingsjagers van de

KLu, bestaande uit twaalf Hawker Hunter Mk. 4 straaljagers, twee Alouette II reddingshelikopters en een meldings- en gevechtsleidingseenheid. Op het eiland Noemfoer werd een uit- wijkvliegveld gebouwd. Die eenheid werd het CLV NNG genoemd, oftewel het Commando Luchtverdediging Nieuw- Guinea. Een jaar later ging er nog een squadron heen, ditmaal modernere Hawker Hunters Mk. 6, die meer vliegbereik hadden omdat ze meer brandstof konden meevoeren. Maar ze konden niet het hele eind van Nederland naar Nieuw-Guinea vliegen en tank- vliegtuigen voor het bijtanken in de lucht had Nederland toen nog niet, zodat de straaljagers met het vliegdekschip Karel Doorman moesten worden vervoerd.

Maar straaljagers of niet, Indonesië leek in 1962 klaar om een grootscheepse aanval op Nieuw-Guinea uit te voeren. Nederland stond met de rug tegen de muur, want de militairen die er zaten, zouden nooit tegen de overmacht van Indonesië op kunnen. Daar kwam nog bij dat er internationaal weer politieke druk op Nederland werd uitgeoefend: laat dat Nieuw-Guinea toch schieten en voorkom een oorlog! Vooral de Verenigde Staten drongen daarop aan en opnieuw moest Nederland bakzeil halen. In 1962 droegen we Nieuw-Guinea zonder slag of stoot aan Indonesië over. Daarmee kwam een einde aan 45 jaar aanwezigheid van de Nederlandse militaire luchtvaart in het Indonesische eilandenrijk.

Technische vernieuwing

Intussen ging de techniek steeds verder. Steeds modernere vlieg- tuigen en apparatuur deden hun intrede. De komst van de compu- ter versnelde dat eigenlijk alleen maar. Er is tegenwoordig geen vliegtuig, geleid wapen of radarinstallatie meer zonder dat daar computers in zitten. Er komt bijna geen mensenhand meer aan te pas, dat wil zeggen: alleen nog maar om op knoppen te drukken en toetsenborden te bedienen, want de computers doen de rest. Als

er een object nadert – wie weet, is het een vijand – vangt de radar
de echo op. Die echo's worden door de computer omgezet in
videobeelden: waar vroeger een 'bliepje' op het radarscherm ver-
scheen, waarvan men nog maar moest raden wat het voorstelde,
krijg je tegenwoordig kunstmatige, maar wel kant-en-klare beel-
den op een videoscherm. En dan kun je meteen aflezen wat de
hoogte en de richting van het naderende vliegtuig is en hoe het
zich gedraagt. Zo kan het luchtverdedigingssysteem nauwkeurig
een vijandelijk vliegtuig volgen, dankzij sensoren, computerpro-
gramma's en controllers en zonder dat er een soldaat met een ver-
rekijker naar de lucht zit te turen.

En vergeet vooral de computers niet waarmee een moderne straaljager is volgestouwd en die allerlei taken uitvoeren op het gebied
van besturing, controle en bewapening. Omdat al die technische
snufjes veel technische kennis en technisch inzicht vereisen,
wordt de Groep Sensor-, Wapen- en Commandosystemen
(SeWaCo) opgericht, die zich speciaal met de elektronica bezig-
houdt.

De opvolger van de F-16

Sinds het einde van de jaren zeventig van de vorige eeuw vliegt
de Koninklijke Luchtmacht met de F-16. Een uitstekende straaljager, die modern, snel en voor vele taken inzetbaar is. Maar we
zeiden het hiervoor al: de techniek staat niet stil. Weliswaar werd
de F-16 de afgelopen jaren behoorlijk gemoderniseerd: het ver-
jongingsprogramma kreeg de veelzeggende naam *Midlife Update*
en er werden in het kader van dat programma veel zaken in en aan
de vliegtuigen vernieuwd; zo kwam er een nieuwe cockpit, een
betere radar en een nieuwe computer. Op die manier werd het
mogelijk om ook 's nachts en bij slecht weer te opereren en ook
kunnen tegenwoordig vijandelijke vliegtuigen op grotere afstand
worden onderschept en gronddoelen nog nauwkeuriger worden

aangevallen. Maar de KLu houdt er rekening mee dat het nodig zal zijn om de F-16's vanaf het jaar 2010 te vervangen door nóg modernere toestellen, want rond die tijd komt de Fighting Falcon aan het einde van zijn levensduur. Waarom dan? Veel mensen vragen het zich af en de politiek is er ook nog niet over uitgepraat. Gemoderniseerde F-16's, kunnen we het daarmee niet veel langer dan 2010 redden? Waarom moet Nederland haantje de voorste zijn? En wat kosten nieuwe vliegtuigen wel niet? Vele miljarden! Kunnen we dat geld niet veel beter gebruiken?

Maar Defensie en de Koninklijke Luchtmacht blijven volhouden: er moet in 2010 een nieuw vliegtuig komen. De keuze is niet eenvoudig: in de aanbieding zijn de Franse Rafale, de door vier Europese partners ontwikkelde Eurofighter, de Zweedse Saab Grifen en de Amerikaanse JSF (Joint Strike Fighter). Er spelen allerlei belangen mee: natuurlijk de prestaties van het nieuwe vliegtuig, maar zeker ook de prijs, de mate waarin het Nederlandse bedrijfsleven een graantje kan meepikken (bijvoorbeeld door delen van het nieuwe vliegtuig in Nederland te mogen bouwen), wat de rest van de NAVO gaat doen en meer van die overwegingen. Tenslotte besluit men voor de Lockheed Martin JSF. Dat ging niet van de ene dag op de andere, maar uiteindelijk vond men toch dat die jager de beste keus was. In februari 2002 besluit de Nederlandse overheid ervoor te kiezen om in de bouw van het vliegtuig te stappen.

Staatssecretaris van Defensie Van Hoof zet in juni 2002 op de vliegbasis Soesterberg zijn handtekening onder een zogenoemd *Memorandum of Understanding*, waarmee Nederland de vierde partner wordt in de ontwikkeling van de JSF. Engeland, Canada en Denemarken zijn de andere partners. En de Bevelhebber der Luchtstrijdkrachten Dick Berlijn (tevens de hoogste militaire baas van alle krijgsmachtdelen) zegt het nog maar eens heel duidelijk: 'Er wordt hier een cruciale stap gezet om de hoogwaardige bijdrage van Nederland aan de Europese defensie ook in de toekomst zeker te stellen.' Over het type en het aantal vliegtuigen die de huidige 137 F-16's moeten vervangen, zal de politiek zich moeten uitspreken. En daar wordt nogal wat gesputterd: het is nu al duidelijk dat de oorspronkelijke kosten van het project met vele miljoenen zal worden overschreden, Amerikaanse luchtvaartdeskundigen schudden hun wijze hoofden: Nederland heeft een slechte keus gedaan, ze hadden beter de Rafale of de Eurofighter kunnen kiezen. Een aantal parlementariërs wil helemaal niets horen van nieuwe vliegtuigen. Maar de keuze is al gemaakt en daar zal niet zo gemakkelijk aan te tornen zijn...

Het moet worden gezegd: de JSF wordt wel een spectaculair en heel erg vooruitstrevend vliegtuig. Door zijn vorm en de technieken die erin worden toegepast, zal het vliegtuig maar heel moeilijk door de vijandelijke radar kunnen worden gezien; dat heet *stealth*, het Engelse woord voor steels, stiekem. De vlieger krijgt de verschillende gegevens die door de sensoren van het vliegtuig worden opgepakt aan de binnenkant van zijn helmvizier geprojecteerd. De bewapening wordt binnenin het vliegtuig meegevoerd en die kan bestaan uit twee raketten tegen vliegtuigen of twee bommen tegen gronddoelen. Op geen enkele manier is dit geavanceerde toestel nog te vergelijken met die Brik, waarmee het Nederlandse luchtwapen zijn loopbaan begon. Ja, toch op één punt: ze vliegen allebei...

De toekomst: onbemand?

En wat gaat er in de verre – of misschien ook wel nabije – toekomst allemaal veranderen in de luchtmacht? Het is in elk geval zeker dat vliegtuigen steeds vaker kleine, mobiele doelen zullen moeten uitschakelen. Dat feit wijst in de richting van kleine, onbemande en vanaf een afstand bestuurbare vliegtuigjes. Nu al wordt er met die toestellen gewerkt en de Koninklijke Landmacht heeft ze al: de artillerie heeft RPV's beschikbaar. Dat zijn

Remotely Piloted Vehicles, kleine, onbemande en op afstand bestuurbare vliegtuigjes die informatie over het terrein en vijandige troepen kunnen doorseinen. Verkenningsvliegtuigjes dus, maar er wordt nu al flink over een onbemand gevechtsvliegtuig nagedacht en je kunt er donder op zeggen dat er in het geheim al heel wat proeven mee genomen worden. Maar voorlopig is er nog steeds een vlieger nodig om de uiterst moderne jagers en bommenwerpers in de hand te houden. En dat zal voorlopig ook wel even zo blijven.

5. De organisatie van de Koninklijke Luchtmacht

Van Defensiestaf tot squadron

Aan het hoofd van de luchtmacht staat de Bevelhebber der Luchtstrijdkrachten (BDL). Tegenwoordig staat die onder bevel van de Chef Defensiestaf, maar hij leidt wel zijn eigen club, daarbij geadviseerd door de Luchtmachtraad, waarin wekelijks op topniveau overleg plaatsvindt. Die zit in Den Haag en bestaat uit de BDL, de Plaatsvervangend Bevelhebber der Luchtstrijdkrachten (PBDL), de Commandant Tactische Luchtmacht en de Directeuren Control, Personeel en Materieel.

Onder de BDL vallen drie zogenoemde *ressorts*: de Tactische Luchtmacht (daaronder vallen de operationele onderdelen, dus de vliegende eenheden en de geleide wapens), het Logistiek Centrum Koninklijke Luchtmacht of LCKLu (dat regelt de verzorging van materieel en mensen voor onderhoud en bevoorrading van de operationele eenheden) en de Koninklijke Militaire School Luchtmacht Vliegbasis Woensdrecht, oftewel KMSL (de opleidingen). Bij het LCKLu horen ook de Explosieven Opruimingsdienst en de Bergingsdienst; die zijn belast met het opsporen en onschadelijk maken van wapentuig en munitie uit de Tweede Wereldoorlog en het opgraven van vliegtuigwrakken uit diezelfde periode. Bovendien zit daar ook de Defensie Pijpleiding Organisatie, Zoals de naam al zegt: die verzorgt vloeibare brandstoffen voor de hele Defensieorganisatie.

De commandanten van de ressorts worden door de BDL aangestuurd, de PBDL leidt de Bevelhebbersstaf. Dat is een leidinggevend orgaan waarin hogere officieren zitten, die het beleid van een eenheid bepalen. De staf is verantwoordelijk voor de ontwikkeling van beleid en plannen van de KLu en de afstemming ervan met de directies (onder de Bevelhebbersstaf vallen een aantal uiteenlopende stafafdelingen en directies). Dat gebeurt onder meer op het gebied van personeel, materieel, administratieve organisatie, bedrijfsvoering en procesmanagement.

De commandant van het ressort Tactische Luchtmacht is verantwoordelijk voor de beschikbaarheid van de operationele slagkracht en de ondersteunende systemen. Hij stuurt de operationele eenheden aan. De commandant van het ressort Logistiek Centrum KLu is verantwoordelijk voor de instandhouding van de wapensystemen en dat betekent dat hij die systemen beheert, het onderhoud ervan laat uitvoeren en dat hij de voorraad in de gaten houdt en waar nodig aanvult. De commandant van de Koninklijke Militaire School Luchtmacht Vliegbasis Woensdrecht is uiteraard verantwoordelijk van de opleidingen van het luchtmachtpersoneel, behalve van de officieren, want die krijgen hun opleiding aan de Koninklijke Militaire Academie (KMA) in Breda, zeg maar de militaire universiteit: het opleidingsinstituut voor officieren van de land- en luchtmacht. Bij die opleidingen horen een groot aantal vakopleidingen en de EMV, de Elementaire Militaire Vliegeropleiding. Voortgezette opleidingen voor vliegers vinden onder meer plaats in het buitenland (de Verenigde Staten) en bij de vliegende squadrons zelf.

Verspreid over Nederland

De wapensystemen en onderdelen van de KLu zijn over heel Nederland verspreid op verscheidene luchtmachtbases en die vormen samen de Tactische Luchtmacht. De F-16 straaljagers zijn gestationeerd op de vliegbases Twenthe, Volkel en Leeuwarden, de zogenoemde *Main Operating Bases*. De Tactische Helikopter Groep (THG) zit op twee vliegbases: Gilze-Rijen en Soesterberg, terwijl de drie reddingshelikopters op Leeuwarden zitten; dan zijn ze dicht bij de Waddenzee en de eilanden, want daar moeten ze nogal eens mensen ophalen die naar ziekenhuizen op het vasteland worden gebracht.

Op de vliegbasis Eindhoven zit de transport- en tankervloot, in totaal elf vliegtuigen en op vliegbasis De Peel zit de Groep Geleide Wapens met zijn Patriot-, Hawk- en Stinger-raketten.

De onderdelen en de oefeningen

De operationele eenheden van de KLu vallen onder de Tactische Luchtmacht en oefenen regelmatig volgens het JOP, het Jaarlijks Oefen Programma. Dat bestaat uit dagelijkse oefeningen en deelname aan oefeningen in en buiten NAVO-verband. De jachtvliegers van de KLu moeten alles bij elkaar zo'n 20.000 vlieguren per jaar maken, de dertig Apache-gevechtshelikopters zo'n 4600 uren, waarvan er een aantal in Fort Hood in de Verenigde Staten worden gemaakt. Transporthelikopters moeten ongeveer 6900 en de lichte helikopters 3400 uren maken. De vliegtuigen van het luchttransport staan op 8000 vlieguren en de mannen en vrouwen van de Groep Geleide Wapens moeten jaarlijks een dikke 33.000 uren in actie komen om goed geoefend te blijven. Ook de Object Grondverdediging (OGRV) moet geoefend blijven. Zij zorgen voor de bewaking van de luchtmachteenheden tegen dreiging vanaf de grond en daarnaast ondersteunen ze ook openbare evenementen, zoals open dagen van de KLu en koninklijke bruiloften en begrafenissen; dat zijn in feite hun oefeningen, maar ook nemen ze deel aan oefeningen van de F-16's, de helikopters en de Groep Geleide Wapens. In het volgende hoofdstuk komen we uitgebreid op de verschillende onderdelen van de Koninklijke Luchtmacht terug.

De KMA

Nog even over de opleidingen: zoals je hiervoor al kon lezen, zorgt de KMSL voor de basis- en gevorderde opleidingen voor onderofficieren, korporaals en soldaten. Tevens worden er vaktechnische opleidingen en de basisscholing voor vliegers gegeven. Toekomstige officieren komen bij de KMA terecht. De Koninklijke Militaire Academie in Breda is een eerbiedwaardig instituut, dat al uit 1828 dateert en waar zowel BBT- als BOT-officieren van land- en luchtmacht op het niveau van hogeschool of universiteit worden opgeleid. De BOT-studenten ('cadetten' worden ze genoemd en zelfs wordt de oude benaming 'jonker' nog gebruikt, maar dat is natuurlijk een beetje raar bij vrouwelijke cadetten) krijgen eerst drie jaar lang een militaire basisopleiding, een studie militaire bedrijfskunde en een vakopleiding. Dat heet KMA I. Daarna lopen ze twee jaar stage bij een onderdeel en dan worden ze als officier beëdigd en moeten ze weer terug naar de collegebanken om de studie KMA II te volgen, die gedeeltelijk door burgeruniversiteiten wordt verzorgd. De BBT-officier krijgt dezelfde militaire basisopleiding als de BOT-er, maar volgt zijn militaire vakopleiding (KMA A) bij diverse andere militaire opleidingscentra. Als hij of zij wil, kan er nog verder worden doorgestudeerd voor KMA B en KMA C, die gelijkstaan aan KMA I. Je kunt op de KMA ook een Officier Specialist Opleiding volgen. Bijvoorbeeld artsen en juristen die zich al in de burgermaatschappij hadden gespecialiseerd, krijgen op de KMA een militaire training van tien weken, waarna ze een officiersfunctie op hun vakgebied krijgen. Dan kunnen ze voor BOT of voor BBT kiezen.

De rangen

De luchtmacht kent rangen en standen, onderverdeeld in *soldaten, korporaals, onderofficieren* en *officieren*. Die laatsten zijn dan weer onderverdeeld in subalterne officieren, hoofdofficieren en opperofficieren.

soldaten: er bestaan *soldaten der derde klasse* en die hebben geen rangonderscheidingstekens. *Soldaten der tweede klasse* 'soldaat twee', zoals hij in de wandeling wordt genoemd, hebben een licht-blauwe omgekeerde V (dat heet in militaire termen een chevron) van stof als onderscheidingsteken. *Soldaten der eerste klasse* ('soldaat één') hebben een chevron met daaronder een rechte, lichtblauwe balk.

korporaals: twee lichtblauwe chevrons van stof. Een *korporaal der eerste klasse* ('korporaal 1') heeft twee chevrons met een rechte balk eronder. Soldaten en korporaals zijn de vaklieden en voormannen van de KLu en zijn de werkers van de luchtmacht.

onderofficieren: *sergeant* (drie chevrons), *sergeant der eerste klasse* (drie chevrons en een rechte balk daaronder) en *sergeant-majoor* (vier chevrons). De hoogste onderofficier is de *adjudant-onderofficier* (een smalle lichtblauwe band met zwart aan weers-zijden). Ook zo'n band draagt de *vaandrig*, een officier in oplei-ding, die dus zo'n beetje tussen onderofficier en officier in hangt; hij heeft daarboven het embleem van de KMA: de sierlijk ineen-gevlochten letters M en A met een kroontje erboven; dat is om hem te onderscheiden van de adjudant. Onderofficieren spelen een belangrijke rol bij het uitvoeren van opdrachten, die ze als lei-der, instructeur en technische vakman begeleiden en uitvoeren; er zijn ook onderofficieren-vliegers.

subalterne officieren: een *tweede luitenant* draagt een middelbre-de lichtblauwe band met (iets meer) zwart aan weerszijden, een *eerste luitenant* een middelbrede en een smalle band erboven en een *kapitein* twee middelbrede banden. Officieren vormen het lei-dinggevende gedeelte van de KLu en de vliegers; zij zijn de managers, die operaties vormgeven, leiden en uitvoeren.

hoofdofficieren: een *majoor* heeft twe middelbrede banden met een smalle band ertussen, een *luitenant-kolonel* (die met 'overste' wordt aangesproken) drie middelbrede banden en een *kolonel* vier middelbrede banden.

opperofficieren (generaals): een *commodore* (bij de marine heet die rang *commandeur*, bij de landmacht *brigadegeneraal*) heeft een brede lichtblauwe band met breed zwart band aan weerszijden, een *generaal-majoor* een brede band met een middelbrede daarboven, een *luitenant-generaal* een brede band met twee middelbrede erboven en een *generaal* heeft een brede band met drie middelbrede erboven.

Er zijn nogal wat verschillende soorten uniformen: camouflagepakken, uniformen voor dagelijks gebruik, voor 'netjes' en gala-uniformen voor speciale gelegenheden, zoals parades, vorstelijke begrafenissen en dergelijke. Je hebt ongetwijfeld de begrafenis van Prins Bernhard op de televisie gezien; daar kon je je vergapen aan allerlei kleurige tenues van allerlei krijgsmachtonderdelen. Maar die komen bepaald niet elke dag uit de kast!
Vliegers dragen een zogenoemde wing op de rechterborst van hun uniform: een metalen embleem van een goudkleurige adelaar met gespreide vleugels tegen de achtergrond van een oranje zon. Er zijn ook vliegers met een zogeheten klein brevet; die besturen in het algemeen alleen lichte vliegtuigen. Daar is de zon achter de adelaar op de wing blauw in plaats van oranje. Soms zie je ook nog vliegers rondlopen met een Amerikaanse wing, of zelfs nog met een RAF-wing op hun uniform.

6. Het materieel en de eenheden

Ingewikkeld en uitgebreid

De Koninklijke Luchtmacht is een ingewikkelde en uitgebreide organisatie, dat heb je in het vorige hoofdstuk wel kunnen lezen. We zullen dan ook niet alles volledig behandelen, daar heb je niet zoveel aan en de luisteraars naar je spreekbeurt of lezers van je werkstuk zullen al gauw beginnen te gapen. Wat we wèl doen: het 'vliegend materieel', de vliegtuigen en helikopters, bespreken, zodat je te weten komt wat er zo allemaal binnen de KLu rondvliegt. Ook vertellen we iets meer over een paar onderdelen die nauw met de vliegerij te maken hebben. Maar eerst dus het interessantste: de vliegtuigen!

De F-16 Fighting Falcon

De Koninklijke Luchtmacht gebruikt standaard één type jachtvliegtuig voor alle taken: de F-16 Fighting Falcon. Een zeer wendbaar en functioneel vliegtuig dat snel inzetbaar is voor crisisbeheersing en vredesoperaties. Maar ze zijn ook geschikt voor luchtverdediging (een luchtgevecht voeren of vijandelijke vliegtuigen onderscheppen) en bombardementen, ondersteuning van land- en zeetroepen (grondtroepen of schepen aanvallen) en hulpverlening voor burgerlijke overheidstaken. Dat noemen we het *swing-roleprincipe*. Aan de ophangpunten voor de wapens kunnen bommen, raketten, extra brandstoftanks en elektronische storingsapparatuur worden bevestigd. *Air to air*-wapens: die in de lucht tegen vliegende doelen worden gebruikt, zoals de radargeleide AIM-120B AMRAAM-raket. Ook zijn er *Air to surface*-wapens, die vanuit de lucht op gronddoelen worden afgevuurd. Dat zijn vrij vallende of lasergeleide raketten; bijvoorbeeld de

AGM-65 Maverick. Voor opsporings- en verkenningsdoeleinden zijn er F-16's met speciale cameragondels voor gewone en infraroodcamera's. De Fighting Falcon heeft het zogeheten *fly-by-wire*-systeem, wat betekent dat zowat de hele bediening van het vliegtuig elektronisch gebeurt.

De F-16 kan in de lucht worden bijgetankt door speciale tankvliegtuigen (bijvoorbeeld de KDC-10 van de luchtmacht). Dat betekent in de eerste plaats dat het vliegbereik van de jager veel groter wordt, maar ook dat het aantal starts en landingen wordt beperkt; dus ook de geluidsoverlast voor de omwonenden van een vliegbasis. De KLu heeft voor NAVO-taken 108 F-16's beschikbaar en nog enige tientallen voor de training van vliegers en die in onderhoud zijn; daardoor blijft het aantal operationele toestellen altijd hetzelfde.

We scheven al eerder over de *Midlife Update*, de verjongingskuur die de F-16's hebben ondergaan. En ook hadden we het al over de opvolger, de Joint Strike Fighter. De bedoeling is dat die vanaf 2010 wordt ingevoerd.

De F-16-squadrons zijn gevestigd op de vliegbases Leeuwarden, Twenthe en Volkel.

Helikopters

Helikopters bestaan al heel lang. Werd er in het begin nog een beetje vreemd tegenaan gekeken (*Choppers* zeiden de Amerikanen, eierkloppers), ze zijn heel bruikbaar gebleken als wapen; dat is in de oorlog in Vietnam wel gebleken. Ze zijn erg wendbaar en tegenwoordig veel sneller dan de oude types, waardoor ze ook minder kwetsbaar zijn geworden. Vooral de gevechtshelikopter AH-64D Apache is een geducht wapen.

De KLu heeft zes verschillende types helikopters, die verschillende taken hebben. De gevechts- en transporthelikopters moeten vooral de Luchtmobiele Brigade van de Koninklijke Landmacht ondersteunen, maar ze kunnen ook voor andere eenheden en in een ander verband worden gebruikt. Verder heeft de luchtmacht reddingshelikopters en helikopters waarmee taken ten behoeve van de burgermaatschappij kunnen worden uitgevoerd.

De Apache heeft heel moderne apparatuur voor waarneming en navigatie aan boord, wat hem bijzonder geschikt maakt voor verkenningsvluchten. Maar omdat hij over uiteenlopende wapens kan beschikken, is hij ook erg geschikt om grondstrijdkrachten of transporthelikopters te beschermen. En dan kan hij nog als wapen worden gebruikt tegen gepantserde voertuigen en tanks, vijandelijke vliegtuigen en opstellingen van artillerie en geleide wapens. Dat kan de helikopter zowel overdag als 's nachts doen. De Apaches opereren vanaf de vliegbasis Gilze-Rijen.

De zware transporthelikopters Chinook CH-47D kunnen personeel en materieel vervoeren. In de grote helikopters met twee rotoren (de horizontale 'propellers' boven op een helikopter) kunnen grondtroepen snel worden verplaatst, maar ook wapens zoals mortieren en licht terreinwagens. Ook kunnen ze worden gebruikt voor het vervoeren van proviand en andere voorraden. Vracht die niet in de helikopter zelf past, kan onder de Chinook worden vastgehaakt. Verder hebben zeven Chinooks een extra reddingslier aan boord en mogelijkheden om boven zee personen en vracht te laden en te lossen.

De Cougar Mk. II transporthelikopters zijn lichter dan de Chinook en worden vooral gebruikt voor troepen- en gewondentransport en het vervoer van voorraden. Zeven Cougars zijn geschikt gemaakt om vanaf het amfibische transportschip van de Koninklijke Marine te opereren. Zo hebben ze opblaasbare drijvers waarmee de Cougar op het water kan blijven drijven. De Chinooks en de Cougars bevinden zich op de vliegbasis Soesterberg.

De Bölkow Bo-105 is een echte verkenningshelikopter en voor die taak onder andere met apparatuur uitgerust waardoor je ook 's nachts kunt zien. Ook wordt de Bo-105 gebruikt voor personen- en gewondenvervoer en voor verbindingstaken. Ze zijn op de vliegbasis Gilze-Rijen gevestigd.

Tenslotte de Augusta Bell AB-412 reddingshelikopters, op de vliegbasis Leeuwarden. Die doen *search and rescue* (SAR), wat betekent dat ze vliegers die boven zee uit hun vliegtuig moesten springen, kunnen opsporen en redden; ook zij hebben opblaasbare drijvers waarmee ze op zee kunnen landen. Ook voor het redden van drenkelingen worden ze gebruikt en niet te vergeten voor het vervoer van zieken en gewonden van de Waddeneilanden naar het vasteland. Ze hebben hijsapparatuur aan boord en medische instrumenten, zoals zuurstofvoorziening en een hartbewakingsapparaat.

Er vliegen ook nog een paar oude Alouette III helikopters rond, maar in feite is dit toestel al afgeschreven. Het wordt nog wel af en toe voor personentransport gebruikt.

Transport-, tank- en passagiersvliegtuigen

De KDC-10 is het grootste transportvliegtuig van de KLu. In de burgerversie ken je het vliegtuig wel als de driemotorige Douglas DC-10. Die K voor de typebenaming betekent dat het vliegtuig geschikt is om andere vliegtuigen – in dit geval F-16's, maar ook jagers van de bondgenoten – in de lucht bij te tanken; *inflight refuelling* noemen ze dat. De tankbuis wordt bestuurd door middel van net zo'n *joystick* als er aan sommige spelcomputers zit en degene die dat systeem bedient, kan op driedimensionale schermpjes het te tanken vliegtuig in de gaten houden en de tankbuis richten. Het toestel kan grote hoeveelheden vracht en personeel snel en over grote afstanden vervoeren en ook humanitaire taken uitvoeren.

De viermotorige C-130H-30 Hercules is een middelzwaar transportvliegtuig met een achterlaadklep, dat speciaal is gebouwd om van primitieve vliegveldjes op te stijgen en erop te landen. De achterlaadklep kan ook tijdens de vlucht worden geopend, waardoor er parachutisten uit kunnen springen of vracht kan worden afgeworpen. De Hercules wordt gebruikt voor transport van personen en materieel, evacuatie van gewonden en voor humanitaire taken.

De Fokker F-50's worden als personentransportvliegtuig gebruikt. De Fokker F-60, een verlengde versie van de F-50, wordt gebruikt om personeel en materieel te vervoeren; ze doen vaak dienst bij crisisbeheersings- en vredesoperaties en voor medische evacuaties en humanitaire acties. Ze hebben een grote laaddeur en apparatuur tegen vijandelijke infrarood- en radargeleide raketten die op het vliegtuig kunnen worden afgevuurd.

Dan is er nog een Gulfstream IV en dat is het luxe passagiersvliegtuig van de KLu, een klein, tweemotorig straalvliegtuig met ruimte voor elf personen. Het wordt gebruikt om hoge pieten, zowel burgers als militairen, comfortabel te vervoeren. Ook dient het wel als vliegend commandocentrum en voor inspectie, coördinatie en verbindingen. Daartoe heeft de Gulfstream radio-, navigatie- en identificatieapparatuur aan boord.
De luchttransportvliegtuigen zijn gelegerd op de vliegbasis Eindhoven.

Op Curaçao bevinden zich nog twee Fokker F-27 Maritime vliegtuigen van de luchtmacht. Dat toestel, een moderne versie van de vertrouwde, maar inmiddels afgeschreven F27 Friendship en Troopship, wordt gebruikt voor search and rescue, drugsbestrijding, transport en soms ook voor visserijcontrole, milieuvluchten en gewondentransporten.

Het vliegend materieel

Het belangrijkste vliegend materieel, 'de kisten' in het lucht-machtjargon, volgt hierna. Dat is de stand per 1 januari 1999, dus inmiddels al weer zo'n zes jaar geleden. Je begrijpt dat er in de tussentijd het een en ander is veranderd, maar zo krijg je in elk geval een indruk van de omvang van de vliegtuigen van de KLu.

- 183 F-16 jachtvliegtuigen (zijn er inmiddels ongeveer 137)
- 12 Apache gevechtshelikopters (worden er 30 in de eerste tien jaar van deze eeuw)
- 13 Chinook zware transporthelikopters
- 17 Cougar middelzware transporthelikopters
- 27 Bo-105 observatiehelikopters
- 3 AB-412 reddingshelikopters
- 2 KDC-10 transport- en tankvliegtuigen
- 2 C-130H-30 Hercules transportvliegtuigen
- 4 F-60 Utility transportvliegtuigen
- 2 F-50 passagiersvliegtuigen
- 1 Gulfstream IV passagiersvliegtuig
- 13 Pilatus PC-7 Turbo Trainer lesvliegtuigen
- 2 F-27 Maritime vliegtuigen op Curaçao

Vliegbases en andere onderdelen

Je hebt inmiddels al kunnen lezen over de verschillende vliegba-ses in Nederland: Leeuwarden, Volkel, Twenthe, Eindhoven, Soesterberg, Gilze-Rijen en Woensdrecht. Dan zijn er nog de onderdelen Groep Geleide Wapens op basis De Peel, het Air Operations Control Station in Nieuw-Milligen, de Logistieke Divisie in Rhenen en de Defensie Pijpleiding Organisatie in Noordwijk. En natuurlijk de vele diensten en instellingen: de Koninklijke Militaire School Luchtmacht (KMSL), de Explosie-ven Opruimingsdienst, de Bergingsdienst, het Hoofdkwartier, de

juridische dienst, de Meteorologische dienst, de Motortransport-
diensten, de afdeling Personeel & Organisatie, de geestelijke verzorging, de Militaire Administratie, het Luchtmacht Orkest, noem
maar op. Een paar van de meest interessante eenheden bespreken
we hieronder in het kort.

Groep Geleide Wapens

Op vliegbasis De Peel zijn 4 squadrons met Patriot, Hawk en
Stinger geleide wapens gestationeerd. Dat zijn grond-luchtsyste-
men, die dus het luchtruim tegen indringers moeten verdedigen.
De Patriots en Hawks zijn erg beweeglijk, omdat ze op mobiele
onderstellen staan en snel kunnen worden verplaatst. Ze kunnen
zowel tegen kruisraketten als vliegtuigen en ballistische raketten
(die zijn ongeleid en volgen een natuurlijke – ballistische – baan)
worden gebruikt. Soms zijn ze voorzien van het uiterst moderne
Flycatcher radarsysteem dat 40L70 luchtdoelkanonnen aanstuurt.
De Patriot kan zowel heel laag vliegende doelen (aanvallende
vliegtuigen en bijvoorbeeld Scud ballistische raketten) als doelen
tot op 20 kilometer hoogte vernietigen. Ook kan de Patriot meer
dan één doel tegelijk aanvallen, binnen heel korte tijd reageren en
zichzelf beschermen tegen elektronische storingen.

De Hawk is een al wat ouder geleid wapen, dat minder bereik
heeft dan de Patriot. Hij wordt gebruikt tegen vijandelijke doelen
die wat lager vliegen (kan soms ook ballistische raketten uitschakelen) en wordt geleid door een zelfzoekend elektronisch bestu-
ringssysteem.

De Stinger is een draagbare raket, die van de schouder wordt
afgevuurd en die hittezoekend is, zodat hij bijvoorbeeld op de
warmte van een vliegtuigmotor afgaat. Hij wordt dan ook tegen
zeer laag vliegende vliegtuigen en helikopters gebruikt, als zelf-
verdedigingswapen voor de opstellingen van geleide wapens.

Object Grondverdediging

Luchtmachtmilitairen met een camouflageuniform aan, een baret op en met moderne geweren uitgerust, in het buitenland: dat is de OGRV. Zij moeten de vliegbases en alle andere vestigingen van de luchtmacht bewaken en beveiligen. Dag en nacht, in het buitenland, maar ook in Nederland. Als je in een ver land zit waar op dat moment spanningen zijn of waar zelfs oorlog is uitgebroken, moet je je bewakings- en beveiligingswerk heel geconcentreerd doen. De veiligheid van de eenheden zeker stellen, is de hoofdtaak van de OGRV, maar ook het terrein in en rond de basis te verdedigen in bedreigende situaties. In het buitenland doen ze bijvoorbeeld man-pad-patrouilles rond de basis, die bedoeld zijn om de dreiging van draagbare luchtafweersystemen af te wenden. Overdag en 's nachts, per auto en te voet. En ook op de basis zelf patrouilleert de OGRV, rond de vliegtuigen die op de zogenoemde *flightline* staan, het gedeelte waar de vliegtuigen staan opgesteld, klaar om onmiddellijk te vertrekken.

Dat gebeurt ook in Nederland, maar daar zijn de bedreigingen minder groot, hoewel er wel rekening wordt gehouden met aanslagen door terroristen en bijvoorbeeld met mensen van vredesbewegingen, die met alle geweld op een basis willen komen, om daar bijvoorbeeld materieel en gebouwen te beschadigen. De OGRV voert ook toegangscontroles uit en kan bij ongeregeldheden optreden. Bewaken en beveiligen, dat is het devies van de Object Grondverdediging.

Air Operations Control Station

Het AOCS ligt in Nieuw-Milligen en is de centrale gevechts- en verkeersleiding van de KLu. Het bewaakt, beveiligt en coördineert de verdediging van het luchtruim van Nederland en van de NAVO. Met behulp van moderne radarapparatuur wordt al het luchtverkeer in het Nederlandse luchtruim gecontroleerd en als er onderschepping van vreemde vliegtuigen nodig is, leidt het controle- en commandocentrum die operatie. Als er bijvoorbeeld een onbekend passagiersvliegtuig in de lucht zit, dat vergeet een herkenningssignaal uit te zenden, of als die apparatuur niet goed werkt, zorgt het AOCS ervoor dat er onmiddellijk twee F-16's opstijgen (er staan altijd een team vliegers en een paar jachtvliegtuigen klaar om onmiddellijk op te stijgen; *op standby* heet dat) om te kijken wat er aan de hand is en om eventueel in te kunnen grijpen als het een gevaarlijke situatie betreft.

Het Military Air Traffic Control Centre (MilATCC) is de algemene militaire luchtverkeersleiding van Nederland. Zij zorgen voor het goed verlopen van het militaire luchtverkeer en het burgerluchtverkeer in het deel van het luchtruim waar ook militaire vliegtuigen opereren.

Logistieke Divisie Woensdrecht

De LDW is onderdeel van het Logistiek Centrum Koninklijke Luchtmacht (LCKLu) en heeft groot onderhoud als taak. Dat betekent dat daar na een bepaald aantal vlieguren het vliegtuig. 'de kist' zoals KLu-ers zeggen, naar Woensdrecht wordt gebracht en daar een grote preventieve onderhoudsbeurt krijgt. 'Preventief' betekent dat uit voorzorg alles wordt nagelopen en daarmee voorkomt de LDW veel problemen. Vliegers moeten altijd en overal op hun vliegtuig kunnen vertrouwen en dat moet in Nederland, maar vooral ook in het buitenland. De vluchten die de F-16's tijdens de operatie *Enduring Freedom* boven Afghanistan moesten uitvoeren, waren veel langduriger dan gebruikelijk en dat betekende dat de vliegtuigen regelmatig moesten worden vervangen; dan gingen ze naar de LDW waar ze weer helemaal werden gecontroleerd en weer voor hun taak toegerust. Dat betekent dus een uiterst zorgvuldige controle en heel veel technische kennis.

Ook doet de LDW aanpassingen aan vliegtuigen, bijvoorbeeld als er nieuwe wapensystemen komen of nieuwe technische snufjes. Dat betekent dat er op Woensdrecht honderdduizenden reserveonderdelen klaarliggen. Ook stuurt de LDW wel onderdelen op naar de squadrons, soms zelfs complete straalmotoren.

Ook een onderdeel van het LCKLu is de LDR (word je al kriebelig van al die afkortingen? Deze staat voor Logistieke Divisie Rhenen), die ervoor zorgt dat het grootste deel van de elektronische apparatuur van de KLu in goede staat verkeert en kan worden ingezet. Bovendien verleent de LDR ondersteuning aan de burgerlijke autoriteiten tijdens operaties en rampen. Dat betekent onder meer dat de Divisie veel waarde hecht aan goede contacten met de gemeenten in de omgeving.

Defensie Pijpleiding Organisatie

Je raadt het al: de afkorting is DPO. Deze organisatie werkt niet alleen voor de luchtmacht, maar ook voor de andere krijgsmachtdelen. Zij verzorgt de inname, de controle en het transport van vloeibare brandstoffen, zoals kerosine en dieselolie. Zoals de naam al zegt, gebeurt dat via een pijpleiding, een onderdeel van een internationaal netwerk van pijpleidingen in Centraal-Europa; dat heet het Central Europe Pipeline System (CEPS). De DPO heeft daar zo'n 1000 kilometer pijplijn van in gebruik. Dat heeft een belangrijk voordeel boven het vervoer van vloeibare brandstoffen over de weg of over water: het is een heel stuk veiliger. Er zijn bij de DPO twee eenheden die respectievelijk voor transport en opslag van de brandstoffen en voor het onderhoud van en reparaties aan de pijpleidingen zorgen.

Bronnen voor dit boekje

In de inleiding heb je al kunnen lezen dat de internetsite www.luchtmacht.nl een belangrijke informatiebron voor dit boekje is geweest. Nog meer informatie vond ik bij de volgende websites:

www.mindef.nl (ministerie van Defensie)

www.landenweb.com/bevolking,cfm?LandID=147&NEDER-LAND

www.cdc.nl (Commando Diensten Centrum, ondersteunende diensten aan de krijgsmacht)

www.onzeluchtmacht.nl

www.werkenbijdeluchtmacht.nl

www.luchtmacht.startkabel.nl

www.luchtmachtkapel.nl

www.luchtmacht.boogolinks.nl

www.bhummel.dds.nl (de Nederlandse luchtmacht in mei 1940)

www.luchtmacht.verzamelgids.nl

www.biak.info (de KLu in Nederlands Nieuw-Guinea)

www.defbib.kma.nl/alg /klu.html (centrale bibliotheek)

www.luchtmacht.beginthier.nl

www.airwork.nl/kennisbank/selectie-klu.shtml

En verder in de volgende boeken en brochures:

Het Ministerie van Defensie/Veiligheid in een veranderende wereld, Ministerie van Defensie, Directie Voorlichting

Werken... bij de Koninklijke Luchtmacht, D.M. Jansen, Beroepenboeken dl. 28, 1986 De Ruiter, Gorinchem, ISBN 90-05-50029-8

Mensen met een missie/Terugblik op 2002, maj. Onno Sluiter, Monique van Laar, drs. Joyce Torresan-Vinke et al, 2003 Den Haag

Brochure Koninklijke Luchtmacht, Luchtmacht Voorlichting, Den Haag

Een halve eeuw militaire luchtvaart/1913-1 juli-1963, R.W.C.G.A. Wittert van Hoogland, juli 1963 Staatsdrukkerij- en Uitgeverijbedrijf, 's-Gravenhage

DVD: Koninklijke Luchtmacht nu, prod. Frank de Jonge/ red. en regie: André Eilander, Jan Meints en Joost Wieman, Strengholt Multimedia, 2004

En bovendien heb ik tijdens het schrijven van het boekje de televisie, de radio en de landelijke dagbladen goed bijgehouden. Die media houden je immers voortdurend op de hoogte van alle veranderingen en nieuwtjes, kortom: het reilen en zeilen van de krijgsmachtdelen. En dat is maar goed ook, want er gebeurt veel in de wereld van marine, landmacht en luchtmacht. Zoveel dat je het bijna niet kunt bijhouden en dat je altijd een beetje achter de nieuwste ontwikkelingen zult blijven aanlopen. Houd dus alle nieuwsmedia goed in de gaten als je je werkstuk of spreekbeurt gaat voorbereiden. Dan ben je tenminste bij op het moment dat je moet presenteren!

Reeds verschenen in de WWW-reeks:

Deel 1 Ku Klux Klan
Ton Vingerhoets
ISBN 90-76968-12-8

Deel 2 Amish
Ton Vingerhoets
ISBN 90-76968-13-6

Deel 3 Jaren zestig
Ton Vingerhoets
ISBN 90-76968-14-4

Deel 4 Brandweer
Ton Vingerhoets
ISBN 90-76968-35-7

Deel 5 Musical
Ton Vingerhoets
ISBN 90-76968-36-5

Deel 6 Politie
Yono Severs
ISBN 90-76968-43-8

Deel 7 Voodoo
Saskia Rossi
ISBN 90-76968-44-6

Deel 8 Aboriginals
Ton Vingerhoets
ISBN 90-76968-37-3

Deel 9 Motorcross
Wilfred Hermans
ISBN 90-76968-59-4

Deel 10 Koninklijke Landmacht
Ton Vingerhoets
ISBN 90-76968-60-8

Deel 11 Koninklijke Luchtmacht
Ton Vingerhoets
ISBN 90-76968-61-6

Deel 12 Koninklijke Marine
Ton Vingerhoets
ISBN 90-76968-62-4

Deel 13 Maffia
Saskia Rossi
ISBN 90-76968-58-6